AMRA

Pavlina Klemm

Heilsymbole & Zahlenreihen

Begleitbuch zu den 44 Karten

AMRA

Besuchen Sie unseren Shop:
www.AmraVerlag.de

Ihre 80-Minuten-Gratis-CD erwartet Sie.
Unser Geschenk an Sie … einfach anfordern!

7. Auflage

Ein Kartenset im AMRA Verlag
Auf der Reitbahn 8, D-63452 Hanau
Hotline: + 49 (0) 61 81 – 18 93 92
Service: Info@AmraVerlag.de

Herausgeber & Lektor	Michael Nagula
Schachtelgestaltung	Guter Punkt
Layout Begleitbuch	Birgit Letsch
Kartendesign	Torge Niemann
Autorenfoto	Melanie Daoud
Druckerei	Ren Medien GmbH

ISBN 978-3-95447-376-2 (Kartenset)
ISBN 978-3-95447-580-3 (Printbuch)
ISBN 978-3-95447-449-3 (eBook)

Die hier vorgestellten Informationen, Ratschläge und Übungen sind rein subjektiv. Sie wurden zwar nach bestem Wissen und Gewissen geprüft, dennoch übernehmen Verfasser und Verlag keinerlei Haftung für Schäden gleich welcher Art, die sich direkt oder indirekt aus dem Gebrauch der Informationen, Tipps, Ratschläge oder Übungen ergeben. Im Zweifelsfall holen Sie sich bitte ärztlichen Rat ein.

Im Text enthaltene externe Links konnten vom Verlag nur bis zum Zeitpunkt der Buchveröffentlichung eingesehen werden. Auf spätere Veränderungen hat der Verlag keinerlei Einfluss. Eine Haftung des Verlags ist daher ausgeschlossen.

Inhalt

Herzensgruß der Plejader

Liebe Lichtbotinnen und Lichtboten!

Wir, eure plejadischen Begleiter, sind sehr dankbar dafür, dass ihr euch mithilfe dieses Kartensets selbst heilt. Durch euer Heilen helft ihr anderen Personen, die die Ursache ihrer negativen Gegenwart vielleicht noch nicht entdeckt haben.

Durch die Anbindung an die morphogenetischen Felder dank der Symbole auf diesen Karten erweitert ihr euer Bewusstsein, und es gelingt euch leichter und schneller, euch in der fünften Bewusstseinsdimension zu verankern. Euer gereinigtes Herz und eure positiven Gedanken bilden dafür die Grundlage. Jeder Mensch, der die Schönheit seines irdischen Weges entdeckt, entdeckt auch die Schönheit seines Herzens. Er entdeckt, dass ein reines Herz ihn mit weiteren reinen Herzen menschlicher Wesen verbindet.

Der Mensch ist wunderschön und strahlend. Seine Seele ist in der Lage, sich lichtvoll in verschiedenste Räume und Zeiten der Realität auszudehnen. Die menschliche Seele ist fähig, sich in mehreren Lichtwelten gleichzeitig zu bewegen und dort die unterschiedlichsten Abenteuer zu erleben.

Der irdische Weg des Menschen ist aber ebenfalls voller Abenteuer. Er ist voll von prägenden Erlebnissen. Freudvollen und weniger freudvollen. Doch jedes Erlebnis führt euch zum Ziel. Zum Ziel der Befreiung eures Systems von allem, was nicht zu euch gehört, von allem, was sich schon von selbst verabschieden möchte.

Zum Ziel der persönlichen Freiheit.

Eure persönliche Freiheit verbindet euch mit der Kosmischen Freiheit. Freiheit ist die höchste Evolutionsstufe der menschlichen Seele. Die Frequenz der Freiheit verbindet alle Wesen miteinander, die sich bewusstseinsmäßig entwickeln.

Dank euch, die ihr euch auf den irdischen Weg begeben habt, und dank euch, die ihr gerade eure positive Gegenwart erzeugt, wird Wesen, die in Zukunft auf diesen Planeten inkarnieren werden, die Gelegenheit gegeben, ein positives Leben zu erleben. Durch eure Arbeit an euch selbst schenkt ihr euren Kindern und den folgenden Generationen eine glückliche Inkarnation auf diesem wunderschönen Planeten.

Vielleicht entscheidet ihr euch in der Zukunft ja, ein weiteres Mal auf dem Planeten Erde zu inkarnieren. Ihr könntet euch dann, wenn ihr erneut hierherkommt, ansehen, welche Zukunft ihr selbst in der Vergangenheit erschaffen habt.

Wir wünschen euch viel Glück und viel Freude auf dem irdischen Weg. Viel Erfolg beim Erkennen von allem, was nicht mehr zu euch gehört, und beim Erkennen dessen, was euch bei der Erschaffung der positiven Zukunft stärken kann.

Wir wünschen euch viel Freude, Leichtigkeit und Vergnügen bei der Arbeit mit euren Karten. Unsere Herzen verbinden uns mit euren Herzen. Wir sind bei euch.

Wir segnen euch auf allen Ebenen eures Seins!

Eure plejadischen Begleiter

Mein persönlicher Gruß an dich

Liebe Leserin, lieber Leser!

Auch ich danke dir vielmals dafür, dass du den Weg zu diesen Karten gefunden hast. Ich freue mich sehr, dass das erste Kartenset von den plejadischen Wesen, mit denen ich täglich kommuniziere, das Licht der Welt erblickt hat.

Sicher werden noch weitere folgen, denn die von den plejadischen Wesen kommenden Informationen versiegen nicht. Im Gegenteil. Es ist ein Fakt, dass sich die Informationen immer mehr vertiefen und immer mehr Sinn ergeben. Die Komplexität ihrer Informationen erweitert fortwährend unseren Horizont und unsere Räume.

Wenn du bereits mit der Energie der plejadischen Wesen arbeitest, kannst du sicher bezeugen, dass ihre Lichtenergie sehr stark und gezielt ist. Sie ist magisch und in Raum und Zeit uneingeschränkt. Gleichzeitig ist sie liebevoll und verständnisvoll und voller Mitgefühl.

Wenn ich mit den plejadischen Wesen arbeite, spüre ich ihre große Unterstützung. Ich spüre ihre Führung und Unfehlbarkeit in ihrem Handeln, Heilen, in ihren Diagnosen und den Vorhersagen verschiedenster Ereignisse und Situationen.

Und alle diese Eigenschaften und sicher auch viele weitere Eigenschaften werden dich nun bei der Arbeit mit diesen wundervollen Karten begleiten.

Vertraue bei dieser energetischen Arbeit auf deine Intuition und lasse dich führen.

Die plejadischen Wesen lieben uns alle, und sie helfen uns bei jeder Angelegenheit, wenn wir ihnen nur erlauben, in unsere Realität einzusteigen.

Es existieren keine Zufälle. Es existieren auch keine durch gezogene Karten auftretenden Fehlinformationen. Alles macht Sinn und alles passt zusammen.

Lasse dich führen.

Deine Realität kann schon sehr bald heilen.

In Liebe

Pavlina

Anleitung der Plejader zur Anwendung

Du hältst gerade die materialisierte, manifestierte Energie von Symbolen, Zahlenreihen und Affirmationen in Händen.

Jedes Symbol hat seine eigene starke, ganz besondere Energie. Jede Karte ist an ein spezifisches, morphogenetisches Feld angebunden, das dich wiederum an das Feld der Heilung und an das Feld der Bewusstseinsentwicklung anbindet. Es ist wichtig zu wissen, dass jedes Symbol dieser Karten unterschiedlichste Zeiten und Räume deiner Realität reinigen und heilen kann, sofern du deine Zustimmung gibst und die Absicht zur Heilung deiner Gegenwart aussendest.

Jede Karte ist individuell und jedes Kartenthema funktioniert auf der Grundlage deiner visuellen Vorstellungskraft. Einige der Symbole kannst du auf Wasser programmieren und dadurch negative Erlebnisse in deinem Zellgedächtnis positiv umprogrammieren.

Bevor du mit diesen Karten arbeitest, ist es sinnvoll, ein paar Regeln zu beachten, damit die Ergebnisse deiner Arbeit mit ihnen »rein« sind und dir auch wirklich Hilfe bringen.

∞

Um deine Karten zu aktivieren, halte das ganze Bündel vor ihrer ersten Benutzung in den Handflächen und stelle dir vor, dass ein mächtiges goldenes Licht zu ihnen strömt, durch die Karten und durch deine Hände hindurch.

Der ganze Stapel und deine Hände erstrahlen in einem wunderschönen, gleißenden Licht.

Lege die Karten danach einzeln nebeneinander aus, damit wir uns an jede Karte einzeln anbinden können.

Dabei werden deine Karten auch von Energien gereinigt, die sich in ihnen angesammelt haben, bevor sie den Weg zu dir gefunden haben.

Setze dich zu den vorbereiteten Karten und verbinde dich gedanklich mit uns und mit deinen Lichtführern.

Wenn du möchtest, sprich laut oder innerlich:

» *Ich verbinde mich jetzt und in diesem Raum mit dem Bewusstseinsfeld, der Energie und Liebe der plejadischen Wesen.*

Ich verbinde mich jetzt und in diesem Raum mit dem Bewusstseinsfeld, der Energie und Liebe meiner Lichtwesen.

Ich bitte um Anbindung jeder einzelnen meiner Karten an die zugehörigen morphogenetischen Felder.

Ich bitte um Aktivierung der Heilenergie in meinen Karten.

Meine Absicht ist rein und klar.

Die Arbeit mit diesen Karten dient meinen reinsten Absichten. Sie dient der Heilung meiner Realität und der Ausdehnung meiner Bewusstseinsentwicklung. Sie dient der Heilung der Realität und der Ausdehnung der Bewusstseinsentwicklung weiterer Personen.

Ich segne alle Lichtbegleiter, ich segne mich selbst. Ich segne diese Karten.

Danke, Danke, Danke. «

Lass uns eine gewisse Zeit wirken. Die Dauer kannst du intuitiv ermitteln. Wenn du dir nicht sicher bist, wie lange du die Karten von uns energetisieren lassen möchtest, lass uns wenigstens drei Minuten lang auf sie einwirken.

Dieses Vorgehen ist vor allem gedacht für die erste Anwendung der Karten. Die weitere Arbeit mit deinen Karten erfordert die genannten Schritte nicht mehr.

Du kannst dieses Vorgehen aber gerne wiederholen, wenn du deine Karten erneut reinigen oder die Lichtinformationen und Impulse für deine Karten »aktualisieren« möchtest.

Was die Dauer und Häufigkeit des wiederholten Vorgehens anbelangt, kannst du ganz auf deine Intuition vertrauen.

∞

Wenn du die Karten für dich selbst legst, gehe bitte auf folgende Weise vor …

Durchleuchte dein Herz und lass die Frequenz der Dankbarkeit hineinfließen.

Lege den gemischten, mit Licht durchstrahlten Kartenstapel an dein Herz und sprich:

» *Ich verbinde mich jetzt und in diesem Raum mit den plejadischen Wesen.*

Ich verbinde mich jetzt und in diesem Raum mit meinen Lichtwesen.

Zeit und Raum sind eins.

Ich bitte um eine Botschaft, die die optimale Lösung für meine Situation/meine Frage anbietet.

Meine Absicht ist rein und klar.

Danke, Danke, Danke. «

Du kannst auch um eine Botschaft für den jeweiligen Tag oder die entsprechende Woche bitten.

Wie viele Karten du ziehst, obliegt ganz deiner Intuition.

∞

Wenn du die Karten für jemand anderen legst, gehe bitte auf folgende Weise vor …

Der Kartenleger und die andere Person sitzen sich gegenüber.

Beide Personen durchleuchten ihre Herzen und lassen die Frequenz der Dankbarkeit in sie hineinfließen.

Nun verbinden beide Personen ihre Herzen miteinander durch einen Lichtstrahl der Dankbarkeit.

Der Kartenleger legt den gemischten und mit Licht durchstrahlten Kartenstapel an sein Herz und spricht:

» *Ich verbinde mich jetzt und in diesem Raum mit den plejadischen Wesen.*

Ich verbinde mich jetzt und in diesem Raum mit den Lichtwesen, die mir beim Kartenlegen helfen können.

Zeit und Raum sind eins.

Ich bitte um eine Botschaft, die die optimale Lösung für die Situation/Frage von (Name der Person) anbietet.

Meine Absicht ist rein und klar.

Danke, Danke, Danke. «

Natürlich kannst du gerne auch deine ganz eigene Methode des Kartenlegens anwenden.

Karten & Übungen

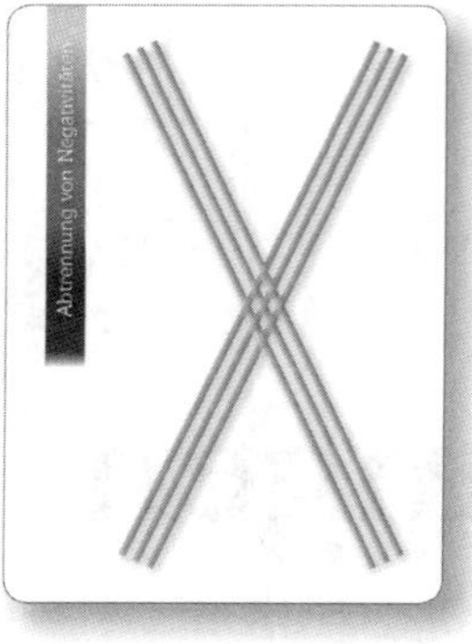

Abtrennung von Negativitäten

Du kannst alle negativen Belastungen, die dich auf dem Weg zum Goldenen Zeitalter und seinen Möglichkeiten bremsen, in Licht transformieren. Das ist jetzt nicht mehr kompliziert oder langwierig. Deine Absicht allein genügt. Deine Absicht und dein Vertrauen verwandeln Negatives sofort in Liebe und Licht. Sende einfach die Absicht aus, dass du dich von allen Negativitäten befreien willst. Deine Absicht ist nicht nur ein Wort, sondern auch ein Lichtstrahl, der Dimensionen zu deiner Heilung und Befreiung öffnet.

Nach der Abtrennung von den Negativitäten haben deine Schutzengel und alle deine Lichtbegleiter einen besseren und erheblich lichteren Zugang zu dir. Wenn du voller Sorgen und negativer Emotionen und Gedanken bist, fällt deinen Lichtwesen der Zugang zu dir recht schwer. Du fühlst dich dann allein und ohne jegliche Führung. Vor allem die Schutzengel haben Respekt vor negativen Energien, denn sie sind sehr feinstofflich und tragen nur pure Liebe, Licht und Dankbarkeit in sich. Nach der Abtrennung von den Negativitäten hast du deine energetische und liebevolle Verbindung zur geistigen Welt wieder optimal herbeigeführt.

Vor dem Aussprechen der folgenden Affirmation kannst du deine Lichtwesen zu dir rufen, dein Höheres Selbst, deine Geistführer. Du kannst auch uns Plejader rufen, wenn du das möchtest. Nach dem Aussprechen der Affirmation kannst du dir vor deiner Brust das Zeichen der Unendlichkeit zur Bekräftigung dieser Information vorstellen.

Sprich nun die folgende Affirmation laut aus:

» Ich gebe jetzt und in diesem Raum alle Negativitäten, die mich belasten, ab. Ich öffne hiermit mein Herz und lasse alle Belastungen und negativen Verbindungen, die mich nicht frei und glücklich sein lassen, sich in Licht auflösen.

Ich vergebe allen Wesen, die mich negativ beeinflusst haben. Ich vergebe mir.

Meine Absicht ist rein und klar. Meine Seele, mein Geist und mein Herz empfangen dankbar die heilende Kraft der Liebe und des Lichts.

Meine Realität ist rein, klar und absolut an die göttliche Liebe angebunden.

Ich bin frei. Ich bin frei. Ich bin frei.

Danke. Danke. Danke. «

Quelle: Plejadenbuch 5, Seite 188

eBook-Suchbegriff: »Ich öffne hiermit mein Herz«

Übungs-CD 6: »Affirmation zur Aufhebung aller Belastungen in dir« (Track 1)

Anbindung an den Kosmischen Klang

In der Stille des Kosmos sind alle Klänge enthalten, die dich heilen können. Durch dieses Zeichen bindet deine Seele sich automatisch an die kosmische Harmonie der Stille an. Dadurch kannst du zur Ruhe kommen und dein Geist kann sich telepathisch entwickeln. Du wirst an die göttlichen Frequenzen des Wissens angebunden. Dieses Zeichen birgt die vollkommene Ganzheit und die grundlegende geometrische Ausstattung in sich, die der Matrix des Universums entspricht.

Du kannst das Zeichen …

- einfach nur anschauen und damit meditieren.
- auf ein Blatt Papier zeichnen und es bei der Meditation an dein Herz legen.
- auf ein Blatt Papier zeichnen und es bei der Meditation an deinen Solarplexus legen.

Quelle: Plejadenbuch 1, Seite 158

eBook-Suchbegriff: »Unendlichkeit und Verganzheitlichung«

Anbindung an den Kosmos

Verwende zur Anbindung an den Kosmos bitte die folgende Übung. Es ist eine sehr einfache Methode, die grundlegend für deine Harmonisierung ist. Dein Gesamtsystem wird dadurch gestärkt und stabilisiert. Deine Lichtform und Seelengestalt werden vor allem Unangenehmen der irdischen Welt geschützt. In allen Räumen und zu allen Zeiten.

Mit der Visualisierung des Zentrums der Blume des Lebens in deinem Herzen aktivierst du gleichzeitig den heiligen Raum deines Herzens. Dieser heilige Raum eröffnet dir alle Möglichkeiten des Universums, die für einen Menschen überhaupt vorstellbar sind. Durch dein erstrahltes Herz kannst du dank dieser Symbolik alle Frequenzen der Gesundheit, des Glücks, der Dankbarkeit und der Liebe sowie des Lichts, des Friedens und der Freiheit empfangen. Wenn du das Zentrum der Blume des Lebens in dir aktivierst, trägst du dein eigenes Universum in dir, das dich vollkommen mit dem Universum um dich herum verbindet.

Die Reinheit deines Herzens bestimmt über die Intensität dieser Anbindung.

Mache es dir bequem und führe diese Meditation durch:

» Atme tief und konzentriere dich auf dein Herz. Blicke ins Innere deines Herzens, in dein Herzorgan. Beobachte, ob dein Herz strahlt. Falls nicht, lass dein Herzorgan sich aufhellen und beobachte weiter, wie es wie eine Sonne leuchtet. Das Leuchten durchdringt jede Zelle. Es durchstrahlt deinen ganzen Körper.

Sei in diesem Augenblick nur für dich. Du bist der wichtigste Mensch, und mit deiner eigenen Heilung heilst du auch deine Liebsten und deine Umgebung. Konzentriere dich nur auf dich und auf die Reinheit deines Herzens und deiner Gedanken.

Atme tief und lass mit jedem Ausatmen Sorgen und Gedanken, die dich belasten, gehen.

Kehre nun wieder zu deinem Herzen zurück, das wie eine wunderschöne Sonne strahlt und deren Strahlen deinen gesamten Körper aufhellen. Beobachte, wie der gesamte Körper erstrahlt. Das klare Licht durchdringt deine Aura ganz und gar.

Dein Licht ist so mächtig. Du strahlst liebevoll in alle Richtungen deiner Existenz.

Stelle dir nun die Blume des Lebens vor. Stell sie dir räumlich vor, in 3D. Sie ist eine plastische und riesige Kugel. Stelle dich jetzt ganz und gar in diese Blume des Lebens hinein, mitten in ihr Zentrum – platziere ihr Zentrum in deinem Herzen.

Verstärke die Intensität deines liebevollen Herzenslichts und durchleuchte mit deinem Herzen alle Strukturen dieser wunderschönen Kugel.

Du bist dadurch absolut an den ursprünglichen Code und die Signatur des Universums angebunden. Du bist absolut mit der göttlichen Ordnung verbunden. Durch deine Anbindung an die Blume des Lebens harmonisierst du dich und bist energetisch geschützt.

Atme tief und mache dir die Kraft deiner Verbindung mit dem Universum und damit der Verbindung mit dir selbst bewusst.

Wenn du deine Verbindung mit der göttlichen Signatur noch verstärken möchtest, visualisiere, wie sich diese plastische Blume des Lebens in ihrer Struktur ins Unendliche ausdehnt – mit dir als Mittelpunkt.

Segne dich auf allen Ebenen deiner Existenz. «

Quelle: Plejadenbuch 5, Seite 35

eBook-Suchbegriff: »Dein Gesamtsystem wird gestärkt«

CD *Blume des Lebens, eine Botschaft der Plejader* (Track 2)

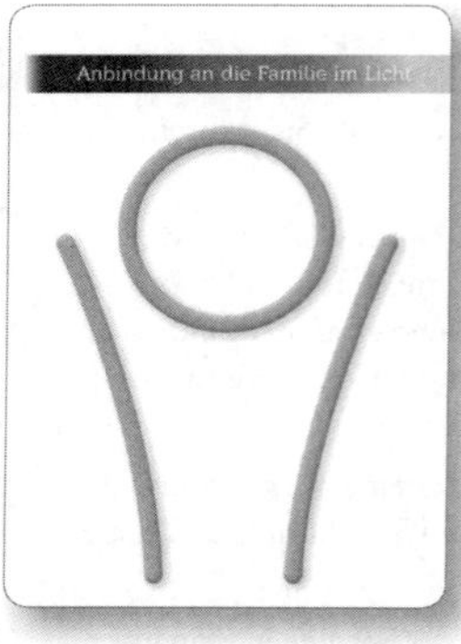

Anbindung an die Familie im Licht

Im Laufe der Tausende von Jahren deiner Inkarnationen hier auf der Erde hast du nicht wenige unangenehme oder schmerzliche Angelegenheiten angesammelt. Deine ganze leibliche Familie und die Familie, die sich momentan in der Dimension der Ewigkeit befindet, haben auf diesem Planeten Belastungen in sich aufgenommen, derer es sich ein für allemal zu entledigen gilt. Dabei hilft dir deine Familie im Licht. Sie blickt aus der Dimension der Ewigkeit auf dich herab und sendet dir Dankbarkeit und Liebe.

Wenn du fühlst, dass du energetisch angegriffen wirst, bitte deine Familie im Licht, dass sie sich im Kreis um dich herum aufstellt. Dann atmest du tief, so dass dein Atem dein ganzes System durchdringt.

Sprich jetzt laut die folgende Affirmation:

» Ich, [dein Name], trete bewusst in Kontakt mit allen Mitgliedern meiner lichtvollen verwandtschaftlichen Familie. Ich stelle bewussten Kontakt mit allen Mitgliedern meiner Lichtfamilie her und bitte um beständige Hilfe und Begleitung in meiner Inkarnation auf dem Planeten Erde.

Ich bitte um Unterstützung bei allen meinen irdischen Angelegenheiten. Mein irdisches Leben verläuft glücklich, harmonisch und fließend. Meine lichtvolle Aufgabe ist hiermit positiv und erfolgreich programmiert.

Durch mein Handeln auf dem Planeten Erde helfe ich mir selbst und meiner ganzen lichtvollen sowie meiner irdischen Familie.

Ich danke dafür und nehme alles in Dankbarkeit an. «

Jetzt atmest du erneut tief und machst dir bewusst, dass deine Lichtfamilie fortwährend über dich wacht.

Quelle: Plejadenbuch 3, Seite 51

eBook-Suchbegriff: »Kontakt mit eurer Familie in der Lichtwelt«

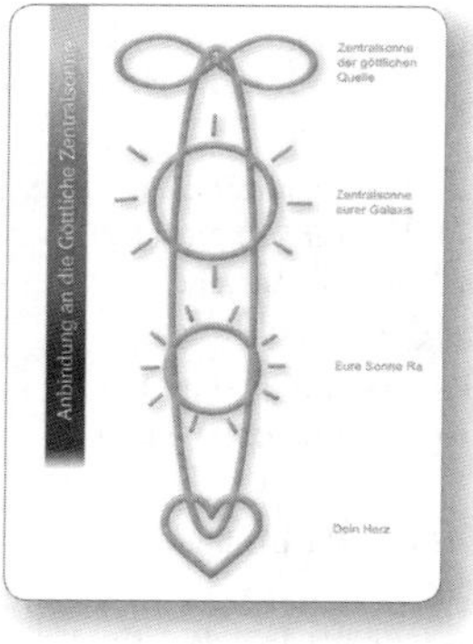

Anbindung an die Göttliche Zentralsonne

Im Folgenden findest du eine ebenso einfache wie wirkungsvolle Methode, um das Licht in deinem Herzen beträchtlich zu erhöhen. Das erhöhte Licht verbindet sich dann mit dem Bewusstsein eurer Sonne, dem Bewusstsein der Zentralsonne eurer Galaxis und mit der Zentralsonne der göttlichen Quelle, die du in deinem Herzen tragen kannst.

Durch diese Erhöhung deiner Frequenz hilfst du nicht nur dir selbst, sondern auch anderen, darunter dem Planeten Erde. Durch diese Anbindung an die Energie, Liebe, Intelligenz und Informationen der Zentralsonne erhöhen sich deine Lichtfrequenz, Intuition und Telepathie.

Erhöhtes Bewusstsein, Licht und Liebe werden fortwährend zu dir strömen.

Und so kannst du die Anbindung herbeiführen:

- Bringe in deinem Herzen ein strahlendes Licht zum Leuchten und lasse einen Lichtstrahl aus deinem Herzen sich mit der Sonne Ra verbinden.

- Wenn du mit der Sonne Ra verbunden bist, lässt du den Lichtstrahl noch weiter hinausstreben bis zur Zentralsonne der Galaxis.
- Wenn er sich mit der Zentralsonne verbunden hat, strebt der Lichtstrahl weiter zur Zentralsonne der göttlichen Quelle.
- Nun wandert der Lichtstrahl zurück zur Zentralsonne der Galaxis, dann zu Ra und deinem Herzen.
- Jetzt lässt du den Lichtstrahl kreisen zwischen deinem Herzen, der Sonne Ra, der Zentralsonne der Galaxis, der Zentralsonne der göttlichen Quelle und auf umgekehrtem Weg zurück zu deinem Herzen.
- Das Licht und die Energie kreisen ununterbrochen.

Quelle: Plejadenbuch 6, Seite 67

eBook-Suchbegriff: »Anbindung an die göttliche Zentralsonne«

Übungs-CD 7: »Erhöhung des Lichts in deinem Herzen« (Track 2)

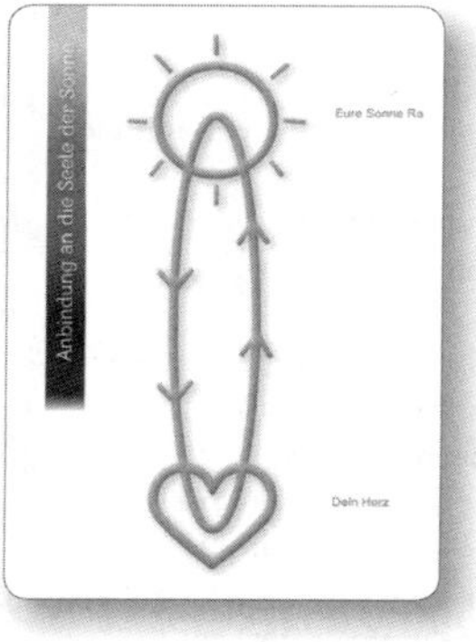

Anbindung an die Seele der Sonne

Diese einfache Übung hilft dir dabei, dich kraft deines Herzens mit der Seele eurer Sonne zu verbinden, die seit unvordenklichen Zeiten den Namen Ra trägt. Die Seele eurer Sonne verbindet dich dann weiter mit den Informationen der Zentralsonne unserer Galaxis und diese wiederum mit den Informationen der Zentralsonne der göttlichen Quelle.

Dazu brauchst du nur diesen Ablauf zu visualisieren:

- Lasse einen Lichtstrahl aus deinem Herzen zur irdischen Sonne Ra aufsteigen.
- Verbinde dich mit ihrer Seele und lasse den Lichtstrahl danach wieder zu deinem Herzen hinabströmen.
- Du kannst diesen Lichtstrahl zwischen dir und der Sonne Ra kreisen lassen.

Quelle: Plejadenbuch 6, Seite 73

eBook-Suchbegriff: »Zwischen deinem Herzen und der Sonne kreisen«

Übungs-CD 7: »Die Seele eurer Sonne meldet sich zu Wort« (Track 1)

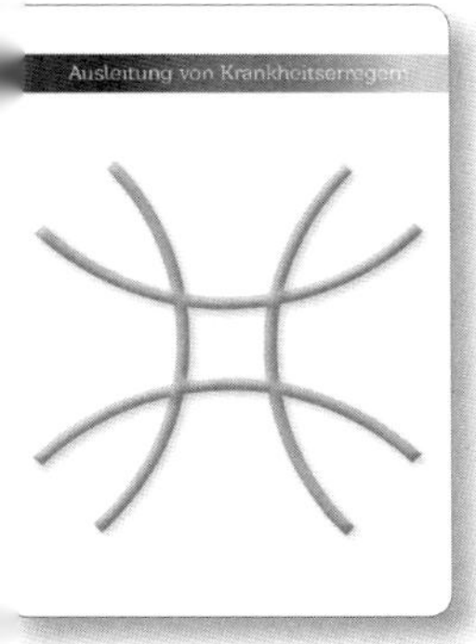

Ausleitung von Krankheitserregern

Dieses Symbol hilft dir, Krankheitserreger in deinem Körper loszuwerden. Benutze es, wenn du dich geschwächt fühlst oder an etwas leidest, was durch Mikroben herbeigeführt wurde. Es lässt deinen Körper erkennen, was nicht in dein gesundes und optimal funktionierendes System gehört. Es hilft dir, Viren und Keime aus dem Körper auszuscheiden.

Du kannst dieses Symbol …

- auf Wasser übertragen. Stelle dazu ein Glas Wasser auf das Symbol und lasse es mindestens drei Minuten lang darauf stehen. Trinke das Wasser danach je nach Bedarf. Deine Zellen übernehmen diese Information und helfen dir bei deinem Bewusstseinsprozess.
- auf ein großes Blatt Papier schreiben und dich für höchstens drei Minuten darauf stellen.

Quelle: Plejadenbuch 6, Seite 167

eBook-Suchbegriff: »Ein Schutzsymbol gegen Viren«

CD *Energetischer Schutz*: »Du leitest die Erreger aus« (Track 12)

Befreiung des Chakras des Dritten Auges

Dieses Chakra ermöglicht das Funktionieren des Dritten Auges, das einst vor unvordenklichen Zeiten von lichtvollen Kriegern geschaffen wurde, um die dunklen Wesen zu besiegen, von denen sie bedroht wurden.

Es ist mit der Zirbeldrüse verbunden, die eine Antenne für die Frequenzen der Lichtwelt ist, und lässt dich in die Innenwelt anderer Menschen und Wesen blicken. Es hat eine direkte Verbindung zur Akasha-Chronik. So kannst du dich zwischen den Welten bewegen und – wenn du reinen Herzens bist – die Wahrnehmung der göttlichen Intelligenz zu deiner eigenen machen.

Je aktiver und stärker dieses ganz besondere Chakra ist, desto mehr erweitern sich der Horizont und die Umgebung der Lichtwelt, an die du angebunden bist. Es ist wie ein Lichtkegel, der sich in die Unendlichkeit der Zeiten und Räume der Lichtwelt ausdehnt.

Viele Menschen haben ihre Hellsichtigkeit aufgrund von Bestrafungen in früheren Leben unbewusst abgelegt. Aber du kannst die Funktion deines Dritten Auges zurückholen.

Sprich dazu die folgende Affirmation laut aus:

» Ich neutralisiere hiermit alle Versprechen und Schwüre, die ich jemals ausgesprochen habe, um mich in meiner Hellsichtigkeit zu behindern, im göttlichen Licht. In allen Zeiten, in allen Räumen, in allen Dimensionen, in allen Zwischendimensionen und in allen Parallelwelten meiner gesamten Existenz. Ich neutralisiere sie jetzt und in diesem Raum.

Ich trenne mich hiermit von allem Negativen ab, das meine Hellsichtigkeit verhindert.

Ich segne alle Personen und alle Wesen, die mich verletzt haben. Ich vergebe ihnen.

Ich segne mich selbst, ich vergebe mir selbst.

Meine Absicht ist rein und klar.

Ich aktiviere hiermit die Funktion meines Dritten Auges und die Funktion meiner Zirbeldrüse.

Ich binde mich über mein Drittes Auge an die Intelligenz Gottes und an die Lichtwelt an.

Danke. Danke. Danke. «

Übungs-CD 4: »Aktivierung des Zugangs zur Lichtwelt« (Track 2)

CD *Chakren Aktivierung* (Track 6/Musik von Michael Reimann)

CD *Anbindung an die Lichtwelt*; erhältlich auf www.AmraVerlag.de

Befreiung von Angst

So viele Menschen haben Angst, dass sie nicht genug Liebe erfahren, ihre Arbeit verlieren oder krank werden. Diese Affirmation hilft dir, Angst, gleich welcher Art, loszuwerden. Vielleicht hat sie dich mit Hilfe destruktiver Frequenzen, einer manipulativen Glaubenslehre oder durch die Medien erreicht. Sie blockiert dich in deinem Leben auf allen Ebenen, und es ist notwendig, sich davon abzutrennen. Dazu sprichst du diese Affirmation laut aus. Das verstärkst deine Kraft und Entschlossenheit, die Frequenz der Angst loszuwerden. Wenn du die Angst schneller transformieren willst, kannst du übrigens auch zusätzlich Wasser mit der Zahl sieben programmieren.

Sprich die Affirmation sieben Tage hintereinander mindestens ein Mal oder so lange, bis du die Angst, die *nicht* deine Angst ist, losgeworden bist. Wiederhole dies bei Bedarf.

Atme tief und sei dir der Kraft deiner Worte bewusst:

» Hiermit befreie ich mich jetzt und in diesem Raum von der Frequenz der Angst. Angst, gleich welcher Art, die mich auf meinem Lebensweg bremst, ist nicht meine

Angst und gehört nicht zu mir. Sie wurde auf mich übertragen, und ich bin bereit, sie abzugeben.

Ich reinige hiermit meine Seele. Ich reinige alle meine Inkarnationen und Situationen, in denen Angst bewusst auf mich übertragen wurde.

Ich löse alle Situationen, die etwas mit Angst zu tun haben, in Licht auf.

Ich löse die Ursache meiner Angst, die sich bisher durch alle Ebenen meines Seins gezogen hat, in Licht auf.

Ich verbinde mich bewusst und absolut mit der göttlichen lichtvollen Intelligenz und bitte um die absolute Reinigung aller Elemente der Angst in meiner Seele, in meinem Herzen, in meinem Körper und meiner Aura.

Ich bin absolut an die Reinheit, das Licht und die Liebe des Universums angebunden und verschmelze mit ihr.

Meine Seele, mein Herz, mein Körper und meine Aura sind absolut durchleuchtet und an die reinsten kosmischen Gesetze angebunden.

Ich erzeuge hiermit mein eigenes positives Energiefeld.

Dieses Feld ist aktiviert und mit den reinsten kosmischen Gesetzen verbunden.

Meine Seele ist frei. Danke. Danke. Danke. «

Durchleuchte deinen Körper zusätzlich mit goldenem Licht und bedanke dich bei der Lichtwelt für ihre Hilfe.

Quelle: Plejadenbuch 2, Seite 167

eBook-Suchbegriff: »Im vollen Umfang der Kraft«

Blume des Lebens

Aus dieser Symbolik, von der du ein Teil bist, ist das gesamte Universum erschaffen. In der jetzigen Zeit, am Beginn des Goldenen Zeitalters, sind alle heiligen Symbole und heiligen Namen und Begriffe gereinigt, neu programmiert und positiv energetisiert. Wenn du die Symbolik der Heiligen Geometrie verwendest, verbindest du dich also mit der reinsten Frequenz des Universums und mit den positiven göttlichen Gesetzen, die durch dich wirken. Das schützt dich und ermöglicht dir, dich bewusstseinsmäßig zu entwickeln und auf allen Ebenen deines Seins zu harmonisieren.

Die Blume des Lebens kannst du überall und ohne Nebenwirkungen einsetzen. Durch die Visualisierung oder anderweitige Verwendung des Symbols kommst du wieder in die göttliche Ordnung. Deine Zellen erkennen den heiligen Code sofort und beginnen sich auf diese Ordnung hin zu programmieren. Du kannst ihre energetische Wirkung auch in deinem Haus jederzeit nutzen. Platziere dazu das Symbol auf Fenstern, Türen oder dem Eingang. Oder lade mit der Blume des Lebens deinen Kristall auf. Lege ihn dazu für etwa zehn Minuten auf dieses Symbol und danach auf dein Herz.

Kleine Kinder, Tiere und Pflanzen reagieren besonders schnell auf die harmonisierende und heilende Form des Symbols, da sie überaus gut an ihre Essenz angebunden sind. Es ist eine Freude mitanzusehen, wie sie fast sofort zu ihrer göttlichen Ordnung zurückkehren.

Das Symbol der Blume des Lebens kannst du …

- an dein Herz oder an eine schmerzende Stelle in deinem Körper legen.
- einfach betrachten oder in 3D-Form visualisieren, dich visuell hineinstellen und das Zentrum der Blume des Lebens in deinem Herzen platzieren. Lasse dieses Symbol visuell über deinen Körper hinaus sich ausdehnen, damit du dich an alle Dimensionen, Räume und Zeiten deiner Realität anbindest.
- auf Wasser übertragen.
- auf deinen Kristall programmieren.

Quelle: Plejadenbuch 5, Seite 35

eBook-Suchbegriff: »Grundlegend für deine Harmonisierung«

CD *Blume des Lebens, eine Botschaft der Plejader* (Track 2)

Übungs-CD 6: »Meditative Anbindung an die Blume des Lebens« (Track 2/Booklet)

Danksagung an die Kosmische Energie

Du kannst sie Prana, Chi, Orgon oder Lebenskraft nennen – wir nennen sie Kosmische Energie. So wie eine Mutter ihr Kind nährt und sich mit ihrer Kraft, Liebe und unendlichen Ausdauer um ihr Kind kümmert, genauso nährt die Kosmische Energie uns alle, sämtliche Wesen. Wir sind ihre Kinder und sie ist unsere Mutter. Sie verteilt ihre Kraft ohne Zweifel oder Zaudern. Sie ist für uns da, und ohne sie gibt es kein Leben.

Bitte empfinde mit uns Dankbarkeit gegenüber der Kosmischen Energie, die uns alle nährt, durchleuchtet und uns die Wesen sein lässt, die wir sind, Wesen, die die kosmische Kraft in Dankbarkeit annehmen und sich bewusst machen, dass es dank dieser Kraft möglich ist zu leben, auf welchem Planeten und in welcher Seinsform auch immer.

Durch die folgenden Sätze kannst du dich bei der Unendlichkeit, Schönheit und Intelligenz der Kosmischen Energie bedanken. Deine Dankbarkeit verbindet dich mit der unendlichen und bedingungslosen Liebe der göttlichen Quelle. Liebe und Licht treten dabei hervor. Das sind unsere grundlegenden Essenzen, die jeder Mensch in sich trägt.

Sprich diese Affirmation laut aus:

» Ich, ein Wesen mit Liebe im Herzen und in der Seele, nehme in Dankbarkeit die kosmische, lebensspendende Energie an.

Ich freue mich über sie, und ich bedanke mich dafür.

Ich bin der Kosmischen Energie dankbar für ihre Kraft, ihr Licht und ihre Liebe.

Ich fülle diese Worte mit der kosmischen Schwingung an und lasse sie durch meinen Körper und meine Seele dringen.

Frieden im Herzen. Frieden. Frieden.

Danke. Danke. Danke. «

Quelle: Plejadenbuch 1, Seite 197

eBook-Suchbegriff: »Herzensgruß an den Urgrund«

Danksagung an Engel & Lichtwesen

Im Grunde sind Engelwesen unterschiedlich strahlende Farblichter. Durch ihr unablässiges Wirken in allen Dimensionen deines Seins verbinden sie dich mit denjenigen Lichtfrequenzen deiner Galaxis, die für deine Heilung oder dein spirituelles Wachstum gerade erforderlich sind.

Wende dich an deine Engel, wann immer dir danach ist. Kein Anlass kann zu gering oder zu groß sein. Du machst ihnen damit eine Freude, denn das Helfen ist ihre Berufung. Und sie sind erfüllt von absoluter Liebe. Vielleicht möchtest du dich ja gerade jetzt bei deinen Engeln und Lichtbegleitern bedanken? Wenn deine Engel und Lichtbegleiter deine Dankbarkeit fühlen, verstärkt sich die Liebe zwischen euch weiter. Sie fühlen sich dadurch sehr geehrt. Und wenn du diese Danksagung laut aussprichst, verstärkst du die Frequenz deiner Dankbarkeit ihnen gegenüber noch.

Dankbarkeit aktiviert, eröffnet und verstärkt die Liebe in deinem Herzen. Denke immer daran: Liebe und Dankbarkeit sind die mächtigsten Werkzeuge, die wir von der göttlichen Quelle bekommen haben.

Deine Schutzengel und Lichtwesen begleiten dich bereits seit deiner Ankunft hier auf dieser Erde. Vielleicht begleiten sie dich schon seit vielen Inkarnationen. Sie lieben dich und übertragen dir ständig ihre Liebe und ihr Licht. Nun hast du die Möglichkeit, dich aus tiefstem Herzen zu bedanken.

Verwende dazu die folgende Affirmation:

» Meine lieben Engel und Lichtbegleiter!

Ich danke euch von ganzem Herzen dafür, dass ihr jeden Tag an meiner Seite steht, mir helft, mich beschützt und meine Wünsche erfüllt.

Ich danke euch, dass ihr für mich hier seid und mich durch eure liebevolle Frequenz mit der Liebe Gottes verbindet.

Verbindet mich bitte mit meinem Höheren Selbst, das sich in der Dimension der Unendlichkeit befindet.

Ich danke euch für alle Zeiten, in denen ihr mich begleitet habt, in denen ihr mich begleitet und in denen ihr mich begleiten werdet.

Ich danke euch von ganzem Herzen.

Ich segne euch, ich segne mich.

Danke. Danke. Danke. «

Quelle: Plejadenbuch 2, Seite 201

eBook-Suchbegriff: »Dankbarkeit ihnen gegenüber«

Übungs-CD 4: »Lichtwesen verbinden dich mit der Natur« (Track 7)

Danksagung an Feen & Naturwesen

Das Reich der Feen ist genauso groß wie das Reich der Engel. Sie bewegen sich jedoch in Bodennähe und in der Nähe von Bäumen und Büschen. Sie können nicht so schnell abheben und fliegen wie Engel, sie gehören zum Naturreich.

Feen und Naturwesen helfen dir, wenn du dich nicht wohl fühlst und im Wald spazieren gehst. Wenn du dich ins Gras legst, siehst du, wie es sich um dich herum bewegt. Dann kannst du vollkommen sicher sein, dass sie bei dir sind. Wenn du aus der Natur kommst, fühlst du dich frei und wie gereinigt. Das ist auch so. Sie unterstützen deinen Körper dabei, sich auf natürliche Weise zu entgiften.

Du sollst wissen, wie wichtig es ist, mit Feen und Naturwesen zusammenzuarbeiten und sie zu ehren.

Sie erweisen dir größere Dienste, als du denkst. Dafür hast du die Möglichkeit, ihnen Ehre zu erweisen. Es reicht, wenn du in deinem Garten oder an deinem Lieblingsort in der Natur die folgende Affirmation laut aussprichst. Die Worte »Liebe« und »Dankbarkeit« sind mit der Energie der universellen Intelligenz aufgeladen, und die Feen ernähren sich von diesen wunderschönen göttlichen Essenzen.

Und so lautet diese Affirmation:

» Liebe Feen und alle Naturwesen!

Hiermit danke ich euch jetzt und für alle Zeiten, dass ihr mir helft und mir eure Dienste erweist.

Ich bin euch dafür unbeschreiblich dankbar.

Ich sende euch Liebe und Dankbarkeit.

Danke. Danke. Danke. Ich liebe euch! «

Wenn du den Feen und Naturwesen eine Freude machen möchtest, bringe ihnen einen duftenden Blumenstrauß. Du kannst auch an einem Strauch in Bodennähe einen glitzernden Gegenstand aufhängen.

Deine Kinder sollten sich wie früher oft in der Natur aufhalten und sich an der Natur erfreuen. Sie sollten dort wieder Kräfte tanken und ihr inneres Kind und ihr Ich aufladen. Sie sollten sich von Energie aus der Natur ernähren.

Quelle: Plejadenbuch 4, Seite 169

eBook-Suchbegriff: »Die Worte Liebe und Dankbarkeit«

Übungs-CD 4: »Lichtwesen verbinden dich mit der Natur« (Track 7)

Übungs-CD 6: »Wiederanbindung an lichtvolle Naturwesen« (Track 10)

CD *Anbindung an Gaia*; erhältlich auf www.AmraVerlag.de

Das Omega-Zeichen

Das Omega mit der rechtsdrehenden Spirale und dem Zeichen der Unendlichkeit dient der Harmonisierung deines energetischen Systems. Dabei steht das Omega für den kosmischen Ur-Ton OM und ist der Repräsentant der göttlichen Schwingung, die alles Positive miteinander verbindet. Es versinnbildlicht die Lichtschwingung und die Anbindung an sie und trägt eine hohe Frequenz in sich, die dein gesamtes Energiesystem lockert und löst. Dadurch hilft es dir, deine eigene Lichtfrequenz anzuheben. Erinnere dich an das hoch schwingende Zeichen OM, das weltweit einen heiligen Stellenwert besitzt. Es entspricht dem Omega-Zeichen.

Die rechtsdrehende Spirale im Inneren des Omegas bedeutet Veränderung zum Positiven und lässt deine Energie in die richtige Richtung fließen. Unter diesen beiden Zeichen findest du die Liegende Acht. Sie steht für die Unendlichkeit und verstärkt noch die Informationen des Omegas und der rechtsdrehenden Spirale, unterstützt und fixiert sie.

Viele geometrische Symbole, die Menschen für ihre Heilung benutzen, wurden von der göttlichen Intelligenz energetisch positiv aufgeladen und verstärkt. So auch die Zeichen auf dieser Karte. Die göttliche Intelligenz hilft euch auf diese Weise, euren Aufstieg in das Goldene Zeitalter harmonischer und kraftvoller zu erreichen.

Diese Zeichenkombination …

- des Omega mit der rechtsdrehenden Spirale und dem Unendlichkeitszeichen zeichne auf zwei Blätter Papier, stelle dich für höchstens drei Minuten auf eines davon und schaue das andere dabei an. Deine Energie wird angehoben und in eine göttliche Norm gebracht.
- kannst du auch auf Wasser programmieren.
- kannst du für drei Minuten unter deine Füße legen, oder du kannst dich darauf stellen, wenn du spürst, dass du nicht in deiner Kraft bist, oder das Gefühl hast, dass dir eine Person oder Energie Kraft raubt. Du erzeugst damit dein eigenes Lichtportal, das dir Schutz bietet.

Du kannst das Omega mit der Spirale und dem Zeichen der Unendlichkeit auch außerhalb von Zeiten der Reinigung verwenden, um dich zu harmonisieren und lichtvoller zu werden. Eine besonders starke Reinigung stellt sich ein wenn du es im Zusammenhang mit der Zeichenkombination C – 2 – 8 – 6 = ⊙ (Seite 97) verwendest. Dann hilft es dir sogar, energetische Implantate und Programme aufzulösen.

Deine Intuition sagt dir, ob du zum Einsatz des Omegas noch die Zeichenkombination hinzuziehen solltest.

Quelle: Plejadenbuch 2, Seite 62

eBook-Suchbegriff: »Diese Zeichen haben die Aufgabe«

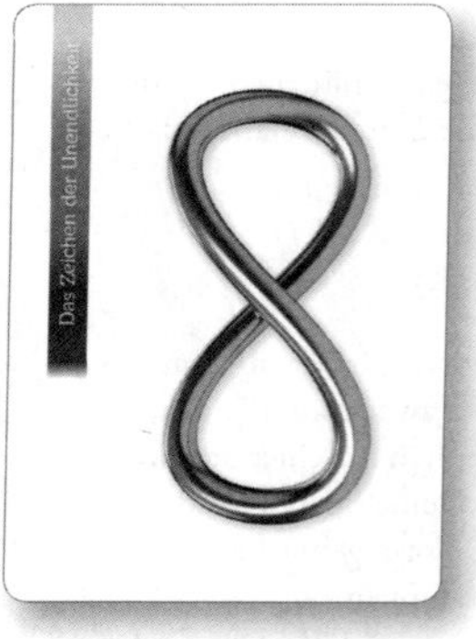

Das Zeichen der Unendlichkeit

Dieses Zeichen dient der energetischen Reinigung und dem Schutz deines Systems. Wenn du in den Schlaufen der Liegenden Acht noch je eine 4 visualisierst, verbindest du dich zusätzlich mit der heilenden Kraft der Engelfrequenzen.

Und so arbeitest du mit dem Zeichen der Unendlichkeit:

- Stelle dir vor, dass du mit dem rechten Fuß in der rechten und mit dem linken Fuß in der linken Schlaufe stehst.
- Lasse die Acht durch deinen Körper nach oben fließen und erzeuge über deinem Körper das gleiche Bild – eine genaue Kopie.
- Die erste Liegende Acht bleibt weiterhin unter deinen Füßen.
- Lasse eine dritte Acht vor deiner Brust entstehen.
- Lasse eine vierte Acht hinter deinem Rücken entstehen.
- Aktiviere in deinem Geist alle vier Symbole.

Quelle: Plejadenbuch 2, Seite 69

eBook-Suchbegriff: »Eine weitere Reinigung deines Systems«

CD *Anbindung an die Lichtwelt*; erhältlich auf www.AmraVerlag.de

Die vierseitige Pyramide

Wir Plejader verwenden die vierseitige Pyramide bei unseren Meditationen sehr oft, weil wir allgemein gerne mit geometrischen Formen arbeiten. Wir nutzen diese Form auch zum Einstieg in andere Dimensionen, Zeiten und Räume.

Eine vierseitige Pyramide in physischer Form kannst du zum Harmonisieren, Aufladen und Reinigen von Essen, Kristallen oder beliebigen Gegenständen verwenden. In visualisierter Form hilft sie dir, dich selbst energetisch zu reinigen und dein System zu schützen. Durch die Verwendung der Zahl 4 verstärkst du die positive Wirkung noch und wirst zudem mit liebevollen Engelfrequenzen verbunden.

Und so führst du die Reinigung durch:

- Visualisiere, wie du dich in eine vierseitige Pyramide stellst.
- Lasse durch die Spitze der Pyramide Millionen von Vieren eintreten und sich alle rechts herum drehen. Reinige auf diese Weise deinen gesamten Körper und dein Energiesystem.

- Visualisiere danach eine weitere Pyramide, die mit der Grundfläche an deine erste Pyramide anschließt und deren Spitze nach unten weist.
- Leite alle Negativitäten, die sich aus deinem System gelöst haben, durch die untere Spitze in den Boden. Im Boden werden die Negativitäten in Licht transformiert.
- Lasse jetzt beide Pyramiden sich rechts herum drehen. Du bindest dich dadurch an die positive rechtsdrehende Energie an.
- Lasse zur Gesamtharmonisierung violettes Licht in beide Pyramiden fließen.

Die äußerst wirkungsvollen Eigenschaften der vierseitigen Pyramide kannst du auch zur Begleitung einer Seele verwenden, die noch keinen Weg in den menschlichen Himmel gefunden hat. Dazu reicht es, wenn du innerhalb der Pyramide ein Lichtportal visualisierst. An der Spitze entsteht ein Tor, durch das die Seele die irdische Ebene verlassen kann.

Quelle: Plejadenbuch 2, Seite 67

eBook-Suchbegriff: »Reinige so deinen gesamten Körper«

Energie für dein Herzorgan

Du stellst dein Herz auf Liebe ein, auf kosmische ebenso wie auf zwischenmenschliche Liebe. Diese Liebe, die jetzt zu dir strömt, erfüllt dein Herz mit Licht, Liebe und Verstehen. Das führt auch deinen Geist ins Vertrauen. Er beginnt die Zusammenhänge dieser Inkarnation dann besser zu verstehen. Dadurch reicht er Informationen an dein Herz weiter, kosmisches Wissen, und dein Herz passt sich an diese Informationen an: an die Frequenzen der Neuen Zeit.

Wenn diese Wechselwirkung dein energetisches System erfüllt, bedeutet das für deinen Körper Veränderungen physischer Art. Dein physisches Herz erfährt den erhöhten Zustrom der Informationen als Lichtphotonen, und dein Herzmuskel stellt sich auf den verstärkten Lichtfluss ein. Die im Herzmuskel enthaltenen Zellen erhöhen ihre Schwingung, wodurch sie besser funktionieren. Das wiederum erleichtert deine Anbindung an die göttliche Quelle und ermöglicht damit den weiteren Zustrom von Informationen.

Deine göttlichen Zellen sowie das gesamte Herzgewebe erhöhen ihre elektrische Spannung. Zwischen den Zellen findet ein schnellerer Informationsaustausch statt. Das kann zu den unterschiedlichsten Wahrnehmungen in deinem Herzen führen. Vielleicht empfindest du ein Stechen? Vielleicht auch einen Druck? Dein Herzgewebe passt sich an die neuen Frequenzen an. Es bereitet sich verstärkt auf Lichtströme mit Kosmischer Energie vor.

Damit du deinem Herzen die Arbeit erleichterst, gehe bitte oft in die Natur. Dort kann sich dein Körper am schnellsten regenerieren und dein Herz an die neuen Frequenzen und Lichtinformationen des Universums anpassen.

Falls du spürst, dass dein Herz Unterstützung benötigt, lege einen Rosenquarz an dein Herz. Rosenquarz harmonisiert und reinigt emotionale Belastungen, die du vielleicht immer noch in deinem Herzen trägst.

Trinke auch genug Wasser. Am besten Quellwasser oder Leitungswasser. Dieses Wasser enthält noch Sauerstoff, den deine Zellen unbedingt für ihre Regeneration brauchen. Abgefülltes Wasser trägt kaum mehr Sauerstoff in sich. Sollte dein Wasser zu Hause keine hinreichende Qualität mehr haben, benutze ausgewählte Filtersysteme.

Vergebungsrituale erleichtern es dir, die Energie deines Herzens anzuheben. Vergib vor allem dir selbst, damit du deine Selbstliebe wieder leben darfst. Selbstliebe befreit dich auf allen Ebenen und bringt neue Möglichkeiten für dein Leben (siehe Seite 77).

Durch die folgende Affirmation hilfst du deinem Herzen, sich schneller an die neuen Frequenzen, die es erfüllen, zu gewöhnen. Dein Herz kann durch diese Worte mehr kosmisches Licht und Liebe aufnehmen und die neuen Frequenzen dann problemlos integrieren.

Atme tief und sprich diese Affirmation laut aus:

» Mein Herz, ich danke dir dafür, dass du unermüdlich für mich arbeitest.

Ich danke dir für deine Arbeit, für deine Ausdauer und für deine Liebe.

Ich danke dir, dass ich dank deiner existiere.

Ich verbinde dich mit der Liebe der göttlichen Quelle.

Ich liebe dich.

Ich liebe mich selbst auf allen Ebenen meines Seins und meines Lebens.

Ich segne dich.

Ich segne mich auf allen Ebenen meines Seins und meines Lebens.

Danke. Danke. Danke. «

Dein Herz kann sich jetzt leichter auf das verstärkte Licht der Kosmischen Energie einstellen.

Quelle: Plejadenbuch 6, Seite 127

eBook-Suchbegriff: »Das verstärkte Licht der kosmischen Energie«

Übungs-CD 4: »Sprich mit den Organen deines Körpers« (Track 6)

CD *Energetischer Schutz*: »Du führst die Übung aus« (Track 7)

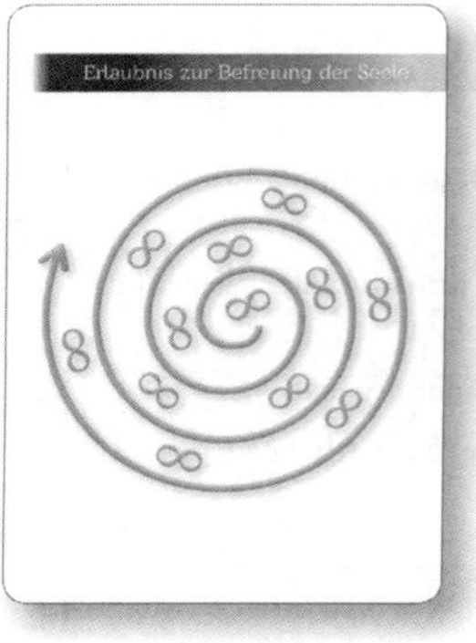

Erlaubnis zur Befreiung der Seele

Wenn deine Seele durch Versprechen, Gelübde und Schwüre aus längst oder erst jüngst vergangenen Zeiten gebunden ist, muss sie sich erst davon befreien oder befreien lassen. Erlaube ihr, sich mit der Intelligenz Gottes zu verbinden, wann immer sie das Bedürfnis danach hat. Erlaube deiner Seele, in Freiheit, Unendlichkeit und Ewigkeit zu leben.

Das ist der kosmische Plan und dahin geht die menschliche Seele. Schritt für Schritt in die Unendlichkeit und Ewigkeit. Dieser Prozess verläuft momentan sehr schnell. Schneller, als du dir bewusst bist. Vorwiegend nachts und in Zeiten der Meditation bewegt deine Seele sich in die verschiedensten Räume, Zeiten und Dimensionen hinein und dehnt sich aus. Deshalb fühlst du dich manchmal so müde. Es liegt daran, dass deine Seele für dich arbeitet. Sie ist eine hoch entwickelte Essenz, die entschieden hat, alles für dich zu reinigen – alle neuen Räume, alle belastenden Situationen. Verbesserte Situationen und Reinigung führen zur Annäherung an die göttliche Wahrheit. Deshalb ist es deine Aufgabe, dieses Streben deiner Seele zu unterstützen. Wenn sie sich ausdehnt, wirst du unablässig wachsen.

Sprich dazu laut die folgende Affirmation:

» Ich erlaube meiner Seele, sich der göttlichen Intelligenz anzunähern, und ich erlaube ihr, sich mit der göttlichen Essenz zu verbinden.

Ich erlaube meiner Seele, alles Negative abzugeben.

Ich erlaube meiner Seele, alle Situationen, die mich belasten und die mich daran hindern, mich an die göttliche Essenz und ihre Liebe und ihr Licht anzubinden, auszugleichen.

Meine Seele ist absolut frei, ewig und unendlich in allen Dimensionen, Räumen und Zeiten.

Liebe und Licht durchdringen meine Seele und alle Ebenen meines Seins.

Ich bin Liebe.

Ich bin.

Danke. Danke. Danke. «

Quelle: Plejadenbuch 3, Seite 36

eBook-Suchbegriff: »Sei dir dieser Worte bewusst«

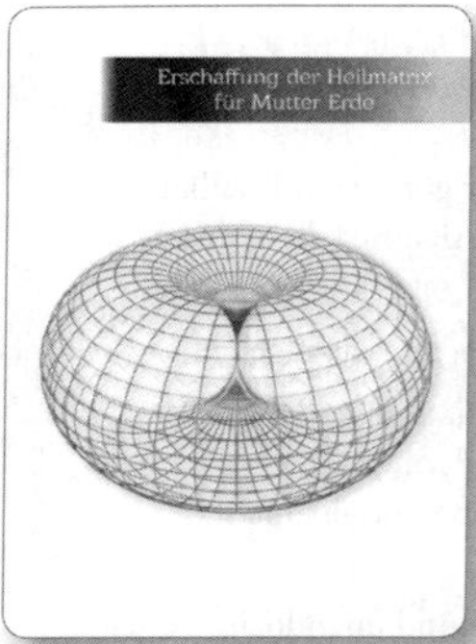

Erschaffung der Heilmatrix für Mutter Erde

Wenn du Mutter Erde energetisch unterstützen möchtest, verbinde dich zuerst durch deine Absicht mit anderen Menschen, die das Gleiche wollen. So erschaffst du zwischen euch ein lichtvolles Gitternetz, das der Erde hilft, sich mit den heiligen Lichtportalen Indiens zu verbinden. Das bringt der Erde Licht, Heilung und göttliche Informationen.

Jeder positive Gedanke und jede positive Tat kommt in Form von Dankbarkeit durch Mutter Erde zu dir zurück. Deine positive Absicht ist entscheidend.

Sprich dazu laut die folgende Affirmation:

» Ich verbinde mich mit der Kraft meiner menschlichen Kollegen, die gerade in diesem Augenblick die positive Absicht haben, unserem Planeten zu helfen.

Ich erzeuge hiermit ein neues Energienetz. Mein Standort ist ein Punkt, von dem aus neue Netzwerke, auch geometrische Netzwerke, entstehen, die sich untereinander verknüpfen.

Unsere Erde erhält so Unterstützung und Kraft.

Ich erzeuge eine Matrix für meine Erde.

Meine Gedanken sind materialisiert. Mein Netz bindet sich an die Kraft des heiligen Indiens und seine Energiekorridore an. Ja, meine Gedanken sind materialisiert.

Das Matrixnetz zwischen meinen menschlichen Kollegen ist verbunden, es ist mit der Kraft Indiens verbunden, es wächst immer weiter und strahlt golden. Das Netz breitet sich auf die anderen Kontinente aus. Die plejadische Zivilisation hört meine positive Absicht und materialisiert zusammen mit mir meine Bitte.

Hiermit heile ich kraft meiner positiven Frequenz und der Frequenz meiner menschlichen Kollegen den Planeten Erde und aktiviere seine Matrix.

Die Matrix unseres Planeten passt absolut in die Matrix des Universums.

Danke. Danke. Danke. «

Die Seele von Mutter Erde, Gaia, ist dir unbeschreiblich dankbar für deine Hilfe. Mutter Erde arbeitet immer mit dir zusammen. Vielleicht möchtest du auch mit anderen zusammenarbeiten? Führe diese Übung gerne in einer Gruppe aus. Je mehr lichtvolle Energie ihr gemeinsam aufbaut, desto mehr lichtvolle Energie wird die Heilmatrix des Planeten aufnehmen und desto schneller werden Gaia und die Menschen heilen.

Quelle: Plejadenbuch 1, Seite 72

eBook-Suchbegriff: »Gedankliche Verbindung mit anderen«

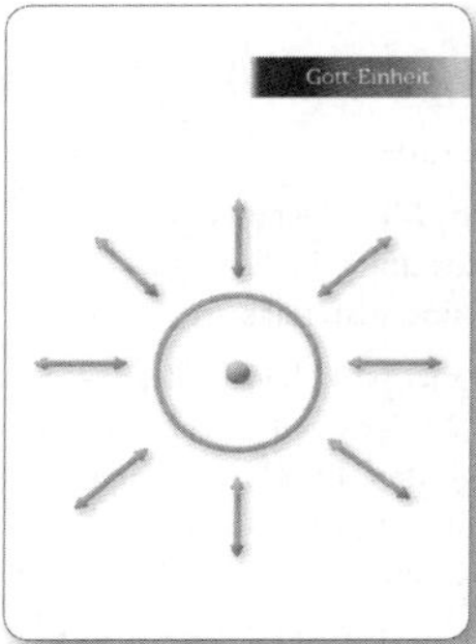

Gott-Einheit

Jedes Wort weist eine bestimmte geometrische Form auf, die eine energetische Wirkung entfaltet. Indem du die Karte anschaust, kannst du die Frequenz des Wortes »Gott-Einheit« in deinem System verstärken. Deine Anbindung an das Göttliche wird dadurch stabilisiert und erfüllt dein ganzes Sein.

Sprich dabei die folgende Affirmation drei Mal laut aus:

» Ich bin an Liebe, Energie und Licht der göttlichen Quellen angebunden.

Ich trage Liebe, Energie und Licht der göttlichen Quelle in meinem Herzen.

Zeit und Raum sind eins. «

Quelle: Plejadenbuch 4, Seite 174

eBook-Suchbegriff: »Binde dich an die Heilfrequenzen an«

Übungs-CD 5: »Heilung durch die Frequenz gesprochener Worte« (Track 3)

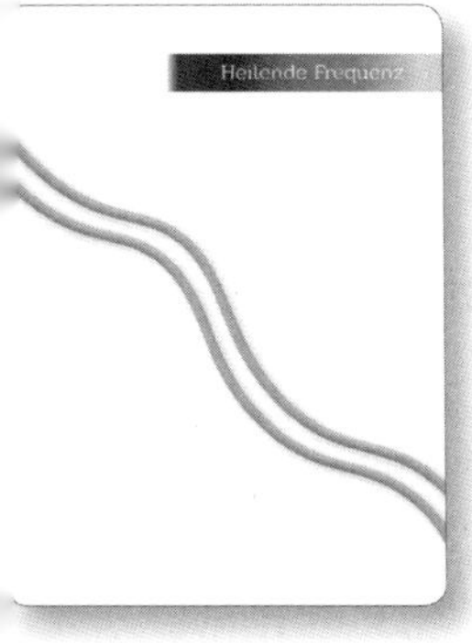

Heilende Frequenz

Jedes Wort weist eine bestimmte geometrische Form auf, die eine spezielle energetische Wirkung entfaltet. Indem du diese Karte anschaust, kannst du die Wirkung des Wortes »Frequenz« verstärken. Damit erhöhst du sofort die Frequenz der heilenden Schwingungen in deinem System.

Sprich dabei die folgende Affirmation drei Mal laut aus:

» Ich lasse alle heilenden Frequenzen zu mir fließen.

Ich integriere, aktiviere und verankere sie in meinem System.

Jetzt und in diesem Raum.

Danke, Danke, Danke. «

Quelle: Plejadenbuch 4, Seite 174

eBook-Suchbegriff: »Binde dich an die Heilfrequenzen an«

Übungs-CD 5: »Heilung durch die Frequenz gesprochener Worte« (Track 3)

Heilende Hoffnung

Jedes Wort weist eine bestimmte geometrische Form auf, die eine ganz eigene energetische Wirkung entfaltet. Indem du diese lustige Karte anschaust, kannst du die Frequenz des Wortes »Hoffnung« verstärken. Dadurch wird sich sofort die Wirkung von Hoffnung in deinem System ausbreiten und schließlich erfüllt sie dein Herz und deinen Geist.

Sprich dazu die folgende Affirmation drei Mal laut aus:

» Ich integriere und aktiviere die Frequenz der Hoffnung in meinem Herzen.

Jetzt und in diesem Raum.

Hoffnung, Hoffnung, Hoffnung. «

Quelle: Plejadenbuch 4, Seite 174

eBook-Suchbegriff: »Binde dich an die Heilfrequenzen an«

Übungs-CD 5: »Heilung durch die Frequenz gesprochener Worte« (Track 3)

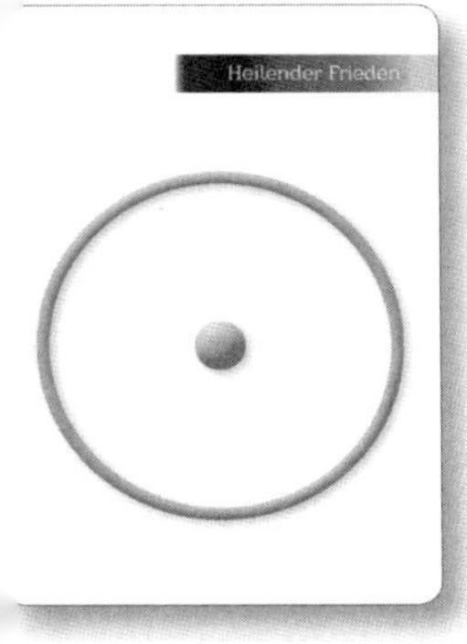

Heilender Frieden

Jedes geschriebene oder auch gesprochene Wort weist eine bestimmte geometrische Form auf, die eine energetische Wirkung entfaltet. Indem du diese Karte anschaust, kannst du die Frequenz des Wortes »Frieden« in deinem System verstärken. Frieden erfüllt schließlich dein Herz und deinen Geist.

Sprich dazu die folgende Affirmation drei Mal laut aus:

» Ich integriere und aktiviere die Frequenz des Friedens in meinem Herzen.

Jetzt und in diesem Raum.

Frieden heilt mich.

Frieden, Frieden, Frieden. «

Quelle: Plejadenbuch 4, Seite 174

eBook-Suchbegriff: »Binde dich an die Heilfrequenzen an«

Übungs-CD 5: »Heilung durch die Frequenz gesprochener Worte« (Track 3)

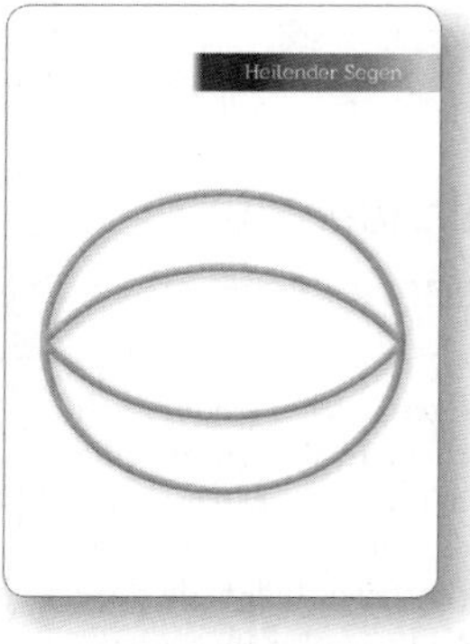

Heilender Segen

Jedes einzelne Wort weist eine bestimmte geometrische Form auf, die eine ganz eigene energetische Wirkung entfaltet. Indem du die vorliegende Karte anschaust, kannst du die Frequenz des Wortes »Segen« in deinem System verstärken. Dein Segnen kann dadurch erheblich feiner schwingen.

Sprich dazu die folgende Affirmation drei Mal laut aus:

» Ich segne mich auf allen Ebenen meines Seins.
Ich segne alle Menschen und alle Wesen dieses Planeten.
Ich segne Mutter Erde.
Das Segnen heilt uns alle. «

Quelle: Plejadenbuch 4, Seite 174

eBook-Suchbegriff: »Binde dich an die Heilfrequenzen an«

Übungs-CD 5: »Heilung durch die Frequenz gesprochener Worte« (Track 3)

Heilung durch Kosmische Liebe

Die Kosmische Liebe, die unablässig zu deinem Planeten strömt, hat dank des erhöhten Bewusstseins zahlreicher Lichtarbeiter jetzt die Möglichkeit erhalten, jegliche Zeiten und Räume der Menschheit zu heilen. Du kannst diese Frequenz der Liebe, welche die Bedingungslosigkeit und Einzigartigkeit der göttlichen Energie in sich trägt, auch zu *dir* einladen und in *dein* Herz fließen lassen. Für die Heilung deines Herzens und deines Seins sprichst du jedes Wort mit Bedacht und in der Absicht aus, deine Realität zu heilen.

Eine weiße Kerze und ihr Licht verbinden dich dabei mit der Reinheit und Klarheit der Lichtfrequenzen. Denke daran, dass deine Stimme heilende Frequenzen hat. Sie bringt die Frequenzen hervor, die du zur Heilung benötigst. Das Wort »Liebe« bringt dir zum Beispiel die Frequenz der Liebe. Das Wort »Dankbarkeit« bringt dir Dankbarkeit.

Du kennst bereits einige Wort-Karten: »Frequenz« (Seite 55), »Frieden« (Seite 57), »Heilen« (Seite 63), »Hoffnung« (Seite 56), »Gott-Einheit« (Seite 54) und »Segen« (Seite 58). Nach ihrem Vorbild kannst du dir Karten anfertigen, auf die du einfach nur das Wort deiner Wahl schreibst.

Atme tief und sprich die folgende Affirmation laut aus:

» Ich bin bereit, jetzt und in diesem Raum die Frequenz der Kosmischen Liebe in Dankbarkeit zu empfangen.

Ich öffne mein Herz und verbinde mich mit der Liebe, die aus der reinsten Quelle kommt. Ich lasse mein Herz durch diese reine Liebe reinigen und heilen.

Alle Negativitäten, die mich belasten und blockieren, lösen sich jetzt und in diesem Raum auf.

Ich trenne mich bewusst von allen Negativitäten ab.

Ich erlaube allen Negativitäten zu gehen. [Atme tief und nimm wahr, wie die Negativitäten gehen.]

Mein Herz empfängt ab jetzt nur noch die reinsten Frequenzen der Liebe.

Mein Herz ist strahlend und glücklich.

Liebe reinigt und heilt alle Zeiten und Räume meines Seins und meiner Existenz.

Ich nehme die Liebe in Dankbarkeit in alle Zeiten und Räume meiner Realität auf.

Ich bin Liebe. Ich bin Liebe. Ich bin Liebe. «

Atme erneut tief ein und aus. Wisse und spüre, dass dein Herz und dein ganzes Sein jetzt von Kosmischer Liebe erfüllt sind.

Quelle: Plejadenbuch 6, Seite 187

eBook-Suchbegriff: »Für die Heilung deines Herzens«

Übungs-CD 7: »Heilung deines Herzens und deines Seins« (Track 7)

Heilung durch Lichtwesen

Wir Plejader arbeiten mit einer großen Anzahl verschiedener Lichtwesen zusammen. Sobald du deine Erlaubnis gibst, dass sie auch mit dir lichtvoll arbeiten dürfen, beginnen sich die für dich zuständigen Lichtwesen telepathisch abzusprechen. Sie finden dann in Gedankenschnelle heraus, welche Lösung für deine Situation optimal ist und welche Entwicklung dein Geist, deine Seele und dein Körper ertragen. Dabei sind sie natürlich bei all ihrem Wirken an die Grenzen des freien Willens gebunden und würden auch nie Bereiche öffnen, für die der Betreffende noch nicht bereit ist.

Durch diese Affirmation erlaubst du den Lichtwesen, mit dir zu arbeiten. Dazu erhältst du als Erstes einen persönlichen Lichtrat, der aus Engeln und Erzengeln besteht, verstorbenen Familienmitgliedern, die dir bei deinem Aufstieg und Wachstum helfen wollen, sowie aus Mitgliedern deiner Kosmischen Familie. Sie alle leiten dir dringend benötigte Heilfrequenzen zu und eröffnen dir Räume und Zeiten für deine Heilung und Selbsterkenntnis.

Erlaube uns und den Lichtwesen, mit dir zu arbeiten und dich an deine absolute Göttlichkeit anzubinden.

Sprich dazu laut die folgende Affirmation:

» Ich erlaube hiermit allen Lichtwesen, jegliche Dimensionen, Räume und Zeiten zu meiner Heilung und zur Rückholung meiner göttlichen Essenz zu öffnen.

Ich erlaube allen Lichtwesen, sich in meiner Nähe aufzuhalten und mir den optimalen Weg zu meiner Heilung, zu meinem Verständnis meiner Situation und zur Erweiterung meiner Bewusstseinsentwicklung aufzuzeigen.

Ich erlaube allen Lichtwesen, Lichtimpulse auf meine Seele, meinen Geist und meinen Körper zu übertragen, damit sie mich an meine Göttlichkeit erinnern können.

Ich erlaube allen Lichtwesen, Lichtimpulse auf meine Seele, meinen Geist und meinen Körper zu übertragen, damit sie mich an meine göttliche Essenz anbinden können. Ich bitte um die optimale Lösung für meine Situation und für mein Wachstum.

Ich danke allen Lichtwesen und meinem gesamten persönlichen Lichtrat für ihre Hilfe, ihre Informationen und ihr Heilen.

Ich nehme ihre Hilfe mit Dankbarkeit an.

Ich segne alle Lichtwesen, ich segne mich selbst.

Danke. Danke. Danke. «

Quelle: Plejadenbuch 6, Seite 43

eBook-Suchbegriff: »Die Göttlichkeit des menschlichen Körpers«

CD *Energetischer Schutz*: »Du erteilst die Erlaubnis« (Track 3)

Heilung für dich und andere

Jedes Wort weist eine ganz bestimmte geometrische Form auf. Indem du diese Karte anschaust, kannst du die Frequenz des Wortes »Heilen« in deinem System verstärken. Seine geometrische Form gleicht einem Dreieck mit einer abgeschnittenen Spitze, weil das für das Abtrennen alter Muster steht. Im Grunde handelt es sich um das Errichten der vierseitigen Pyramide auf fünfdimensionaler Ebene, deren Geometrie für dreidimensionale Sinne nicht mehr nachvollziehbar ist.

Sprich dazu die folgende Affirmation drei Mal laut aus:

» Die Heilung auf allen Ebenen meines Seins geschieht gerade jetzt. Zeit und Raum sind eins.

Heilung, Heilung, Heilung. Danke, Danke, Danke. «

Quelle: Plejadenbuch 4, Seite 174

eBook-Suchbegriff: »Binde dich an die Heilfrequenzen an«

Übungs-CD 5: »Heilung durch die Frequenz gesprochener Worte« (Track 3)

Heilung von Körper, Seele und Geist

Verwende diese Affirmation, wenn du spürst, dass du wenig Kraft hast. Du sprichst mit ihr alle deine Körpersysteme, Räume und Zeiten an, die du für deine Heilung benötigst. Du sprichst damit auch Seelenteile an, die sich in anderen Räumen und Zeiten deiner Existenz befinden. Deine Seele besteht aus vierundsechzig Teilen, von denen du einer bist. Durch deine Heilung hilfst du deinem Höheren Selbst, das für alle Teile deiner Seele zuständig ist, auch die anderen dreiundsechzig Teile zu heilen – und somit deine gesamte Existenz.

Und so lautet die Affirmation:

» Ich erlaube jetzt und in diesem Raum meinem Höheren Ich und allen Lichtwesen, die mir helfen können, meinen Körper, meinen Geist, meine Seele und alle ihre Teile, die zu meiner gesamten Existenz gehören, zu heilen.

Ich entledige mich hiermit energetisch aller negativen Elemente und Wesen, die mir auf jegliche Art schaden oder mich negativ beeinflussen und manipulieren.

Ich bitte alle Lichtwesen, die mir helfen können, um die absolute energetische Reinigung meines Körpers, meines Geistes, meiner Seele und aller ihrer Teile, die zu meiner gesamten Existenz gehören.

Ich bitte um die energetische Reinigung in allen Zeiten, Räumen, Dimensionen, Zwischendimensionen und in allen meiner gesamten Existenz angehörenden Linien.

Ich bitte um die absolute Reinigung aller negativen Programme und Belastungen mit allen existierenden energetischen Abdrücken, Duplikaten, Sicherheitskopien und einkodierten Programmen, mit allen sich wiederholenden Programmen in allen Räumen und Zeiten, Dimensionen, Zwischendimensionen und in allen Ahnenlinien meiner gesamten Existenz.

Ich bitte um die absolute und vollkommene Reinigung der Matrix meiner Seele.

Ich vergebe allen, die mich verletzt haben. Ich vergebe in allen Räumen und Zeiten meiner gesamten Existenz. Vergebt auch ihr, die ich euch verletzt habe, mir. Ich vergebe mir selbst. Meine Vergebung befreit uns alle. In allen Räumen und Zeiten unserer gemeinsamen Realität und unserer gesamten gemeinsamen Existenz.

Ich segne mich auf allen Ebenen meines Seins.

Ich segne alle Menschen, Wesen und Seelen, die mich in meiner Existenz begleitet haben, die mich durch meine Existenz begleiten und die mich durch meine Existenz begleiten werden. Ich lasse nur und ausdrücklich Frequenzen des Positiven, der Liebe und des Lichts zu mir. Negative oder für mich schädliche Frequenzen haben keinen Zugang zu mir.

Ich entscheide mich jetzt und in diesem Raum für die absolute Gesundheit meines Körpers, meines Geistes, meiner Seele und all ihrer Teile, die zu meiner gesamten Existenz gehören.

Meine Heilung geschieht jetzt und in diesem Raum.

Ich bin absolut an die Frequenz des Positiven, der Liebe und des Lichts angebunden. Mein Herz verbindet mich mit allen Heilfrequenzen des Universums. Ich bin absolut an die positive und heilende Kraft der Erde angebunden.

Ich bitte alle Lichtwesen, die mir helfen können, um den absoluten Schutz meines Körpers, meines Geistes und meiner Seele. In Dankbarkeit empfange ich den Schutz, die energetische Reinigung und Heilung. Ich bin geschützt, ich bin rein, ich bin geheilt, ich bin gesegnet, ich bin geerdet.

Danke. Danke. Danke.

Frieden. Frieden. Frieden. «

Du kannst diese Affirmation so oft verwenden, wie du magst.

Quelle: Plejadenbuch 6, Seite 162

eBook-Suchbegriff: »Heilung deiner gesamten Existenz«

CD *Energetischer Schutz*: »Du sprichst die Affirmation« (Track 5)

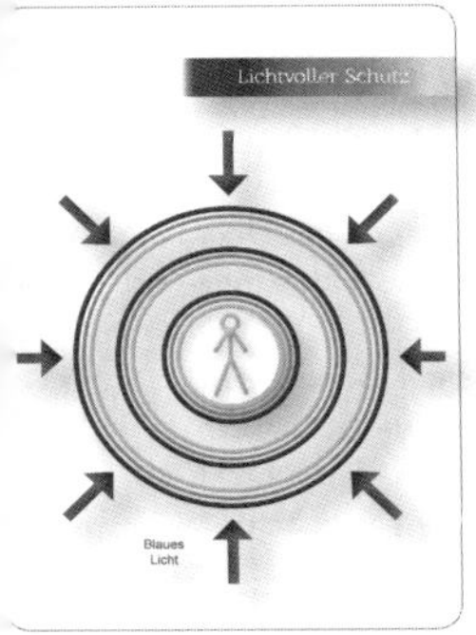

Lichtvoller Schutz

Es ist äußerst ratsam, jederzeit gegen unerwünschte, negative Einflüsse abgeschirmt zu sein. Dazu dient dieser Lichtvolle Schutz. Er arbeitet mit der Farbe Gold, weil Gold negative Gedankenmuster überschreibt. Gold ist die Farbe der Zukunft, des Goldenen Zeitalters, dem du dich mit Riesenschritten annäherst. Das bloße Reinigen mit Licht reicht inzwischen nicht mehr aus. Diesen Lichtvollen Schutz solltest du idealerweise morgens und abends durchführen. Bitte achte darauf, dich vollständig mit Gold einzuhüllen.

Und auf diese Weise arbeitest du mit dem Lichtvollen Schutz:

- Durchleuchte deinen ganzen Körper mit goldenem Licht. Jede Zelle deines Körpers erstrahlt in goldenem Licht. Jede Stelle deines Körpers ist absolut durchleuchtet.
- Dein Herz strahlt in goldener Farbe.
- Nun verschließe die Oberfläche deines Körpers mit goldenem Licht, so als würdest du dich mit einem Pinsel mit goldener Farbe bestreichen. Versiegele alle Körperöffnungen mit dem goldenen Licht. Die Oberfläche deines Körpers ist ganz.

- Erzeuge um dich herum neun Schutzschichten. Erschaffe um dich herum eine goldene Schicht, dann eine grüne und danach eine lilafarbene.
- Jetzt gehe in deiner Vorstellung ein Stück in deiner Aura weiter und erzeuge erneut eine goldene, eine grüne und eine lilafarbene Schicht.
- Gehe noch einmal weiter und erschaffe wieder eine goldene, eine grüne und eine lilafarbene Schicht.
- Lasse um diese neun Schichten herum blaues Licht erstrahlen – das schützende Licht der göttlichen Intelligenz.

Durch diese Arbeit bist du nun von neun lichtvollen Schichten umgeben. Dein System ist damit geschützt. Dank der grünen Farbe wird dein physischer Körper außerdem vor Viren und anderen Krankheitserregern bewahrt.

Quelle: Plejadenbuch 2, Seite 71

eBook-Suchbegriff: »Reinige dich zuerst mit goldenem Licht«

Metatrons Würfel

Erzengel Metatron ist der Patron deines geliebten Planeten Erde und der Schutzherr der Akasha-Chronik. Er kann dich an die positiven Informationen der Akasha-Chronik anbinden und dir dabei helfen, negative Ereignisse oder Befindlichkeiten in Bezug auf dich oder Ereignisse, die sogar die manipulierte Vergangenheit der gesamten Menschheit betreffen, zu neutralisieren. Er verbindet dich auch mit dem Wissen zur Heilung deines Körpers.

Metatrons lichtvolle Intelligenz und sein Wissen sind unglaublich groß, und deine reine Absicht gibt ihm die Erlaubnis, mit deiner Realität zu arbeiten. Außerdem hilft er dir, Frieden im Herzen zu finden, damit du weiterhin die Kraft hast, in die Neue Zeit voranzuschreiten. Dazu verbindet er dich mit den Engeln des Friedens, die dich wiederum mit den Frequenzen des Friedens verbinden und deine Realität friedliebend reinigen.

Die Anbindung an Erzengel Metatron ist sehr einfach. Deine reine Absicht verbindet dich mit ihm. Um dich leichter mit ihm verbinden zu können, kannst du sein Symbol verwenden – den Würfel des Metatron. Wie die Blume des Lebens ist Metatrons Würfel eines der grundlegenden Schöpfungsmuster des Seins. Er dient dazu, dich mit der Frequenz, dem Licht, dem Wissen und der Kraft des Kosmos zu verbinden.

Du kannst das Symbol des Metatronwürfels ...

- an dein Herz oder an eine schmerzende Stelle in deinem Körper legen.
- einfach betrachten oder in 3D-Form visualisieren, dich visuell hineinstellen und das Zentrum des Würfels in deinem Herzen platzieren. Lasse dieses Symbol visuell über deinen Körper hinaus sich ausdehnen, damit du dich an alle Dimensionen, Räume und Zeiten deiner Realität anbindest.
- auf Wasser übertragen.
- auf deinen Kristall programmieren.

Wenn du mit der Karte meditierst und die Energie von Metatrons Würfel für dich zu stark ist, kannst du dich kraft deiner Absicht und deines freien Willens jederzeit von Metatron abtrennen. Danke Metatron für seine Hilfe. Segne ihn und segne dich selbst. Atme tief.

Quelle: Plejadenbuch 5, Seite 86

eBook-Suchbegriff: »Anbindung an Erzengel Metatron«

Übungs-CD 6: »Anbindung an Erzengel Metatron« (Track 4)

Rückkehr der Gesundheit

Deine Entscheidung für die Rückkehr der Gesundheit deines physischen Körpers spielt die größte Rolle bei deiner Heilung. Sie öffnet alle Dimensionen, die deiner Heilung zur Verfügung stehen. Entscheide dich für Gesundheit und Langlebigkeit. Deine Entscheidung bringt deine Zellen dazu, »neu zu starten« und sich an die lichtvollen Schwingungen deiner Essenz anzubinden. Du musst ihnen nur deine Absicht mitteilen.

Sprich dazu laut die folgende Affirmation:

» Ich entscheide mich jetzt und in diesem Raum für die absolute Freiheit meines Körpers, meines Geistes und meiner Seele.

Kein negatives Wesen, keine negative Energie hat Zugang zu mir.

Kein Wesen, keine Energie hat das Recht, über meine psychische und physische Gesundheit zu entscheiden.

Dafür entscheide ich mich kraft meines Willens, jetzt und in diesem Raum.

Ich trenne mich hiermit in diesem Raum und in dieser Zeit von allen negativen Energien und negativen Wesen ab, die meiner Seele, meinem Geist und meinem physischen Körper schaden.

Ich entscheide mich jetzt und in diesem Raum für die absolute Gesundheit meines gesamten Systems.

Ich rufe meine Gesundheit zurück.

Ich bin absolut mit der göttlichen, makellosen Energie und Intelligenz verbunden.

Ich entscheide mich jetzt und in diesem Raum für meine absolute Anbindung an die Frequenz meiner Gesundheit und verbinde mich hiermit, in diesem Raum und in dieser Zeit, mit der absolut makellosen Energie und makellosen Information meiner Existenz.

Ich bin glücklich. Ich bin glücklich. Ich bin glücklich.

Ich bin gesund. Ich bin gesund. Ich bin gesund.

Ich bin frei. Ich bin frei. Ich bin frei.

Danke. Danke. Danke. «

Quelle: Plejadenbuch 5, Seite 101

eBook-Suchbegriff: »Sie entfaltet ihre Wirkung«

Übungs-CD 6: »Rückkehr der Gesundheit deines physischen Körpers« (Track 5)

Schutz vor Elektrosmog

Die Zahlenreihe mit Liegender Acht im Kreis ist ein sehr starkes energetisches Portal für die Christusenergie. Du kannst sie aufzeichnen und in allen Ecken deines Raums platzieren. Du kannst sie aber auch neben deinen Computer oder dein Handy oder sonstige Elektrogeräte legen. Es dient der Reduzierung von schädlicher Strahlung und Elektrosmog.

Während die Liegende Acht für das göttliche Wissen, die Liebe und das Licht steht, minimiert die Zahlenreihe 88445719 alles Negative und verstärkt alles Positive. Sie dient für sich genommen bereits als energetischer Schutz und lässt dich spirituell wachsen. Die Wirkung der Zahlenreihe wird wiederum vom Unendlichkeitszeichen ins Unendliche multipliziert. Es fixiert auch die Information der gesamten Symbolik.

Manche sagen, wenn du mit der Karte meditierst oder sie zur Programmierung verwendest, verringert das außerdem die Nebenwirkungen von Medikamenten.

Quelle: Plejadenbuch 6, Seite 128/177

eBook-Suchbegriff: »Du kannst diesen Kreis kopieren«

Übungs-CD 2: »Anbindung an die kosmische Christusenergie« (Track 2)

Segen für dich und andere

Für deine Anwesenheit auf dem Planeten Erde hast du den Segen der göttlichen Intelligenz erhalten. Auch Gaia hat dir ihren Segen dafür erteilt, dass du auf ihrem Körper leben darfst. Du bist gesegnet worden, als deine Seele sich erstmals mit den Lichtwesen verband. Das hat dein ganzes Sein in einen Zustand des Glücks gebracht.

Störe dich nicht daran, dass das Wort »Segen« durch kirchlichen Missbrauch in Verruf geraten war. Alle negativen Energiefrequenzen wurden inzwischen entfernt, so dass das Wort »Segen« jetzt wieder realen Segen mit sich bringt: den Segen der göttlichen Intelligenz, den Segen der Energie der Zentralsonne, den Segen der höchsten Frequenzen der Lichtwelt. Es ist egal, wie du deinen »Gott« nennst – der Segen kommt direkt aus der Quelle.

Durch Segnen erhöhst du deine Lichtfrequenz, die Photonen in deinem System freuen sich über diese Frequenz und steigern ihre Geschwindigkeit. Die Bewegung der Photonen bringt dich in ein Gefühl des Glücks und in einen Zustand des Glücks. Deine Seele beginnt, sich in alle Räume deines Seins auszudehnen, und verbindet dich mit den Lichtwesen, die dich wiederum unverzüglich und liebevoll direkt mit der göttlichen Energie verbinden.

Wenn du andere Menschen und Wesen segnest, verhilfst du auch ihnen zum Glück. Segne außerdem deine Feinde, Gegner und Menschen, die vielleicht nicht zu dir passen. Ihnen soll es ebenfalls besser gehen, sie können dadurch ebenfalls ihre göttliche Essenz finden. Wir wissen doch, dass wir alle zu einem riesigen Ganzen gehören, und wünschen deshalb allen Wesen Segen, der sie mit der göttlichen Intelligenz verbindet und der sie heilt.

Das Segnen kannst du jederzeit in deinem Leben einsetzen. Falls du dich gerade über einen Menschen geärgert hast, fluche nicht. Stattdessen sage einfach drei Mal hintereinander für dich: »Ich segne dich. Ich segne mich.« Und atme dabei tief. Diese zwei kurzen Sätze befreien dein System ziemlich schnell. Sie befreien deine Seele, deinen Geist und deinen Körper. Deine Zellen werden auf diese Weise nicht deine gegenwärtigen negativen Emotionen und Gedanken speichern. So befreist du dich und schenkst dir sogar Heilung, und der anderen Person ganz genauso. Segnen bringt Heilung auf allen Ebenen eures Seins!

Gebt allen Menschen und Tieren sowie der Natur dieses Geschenk Gottes: Segen auf allen Ebenen ihres Seins und Segen auf allen Ebenen ihres Lebens.

Beginne bei dir und segne zuerst dich selbst
auf allen Ebenen deines Seins.

Segne dich selbst auf allen Ebenen deines Lebens.

Segne deine Gedanken, segne deine Emotionen.

Segne deinen Körper, deine Seele – deine reinste Essenz.

Segne deinen Geist, der dich führt.

Segne dein Leben und deine Lebenslinie.

Segne alle Situationen in deinem Leben.

Segne deine Familie und deine Liebsten.

Segne dein Zuhause und deine Umgebung.

Segne alle Menschen dieses Planeten, segne alle Lebewesen dieses Planeten.

Segne Mutter Erde und all ihre Länder.

Segne deine Galaxis.

Segne das Universum, in dem du lebst.

Durch Segnen erhöhst du deine eigene Lichtfrequenz, und wenn du andere Menschen und Wesen segnest, verhilfst du ihnen ebenfalls zum Glück.

Quelle: Plejadenbuch 4, Seite 94

eBook-Suchbegriff: »Durch das Segnen erhöhst du deine Lichtfrequenz«

Übungs-CD 4: »Erhöhter Photonenstrom durch Segen« (Track 5)

CD *Energetischer Schutz*: »Du segnest deinen Körper« (Track 9)

Vergebung für dich und andere

Wenn du Menschen, Seelen oder anderen Wesen ihre Taten nicht vergeben hast, bist du weiter energetisch an sie gebunden. Ihr beeinflusst euch gegenseitig negativ und könnt in eurer spirituellen Entwicklung nicht voranschreiten. Deine Ohrenchakren sind durch das Nicht-Vergeben blockiert, und du besitzt nicht die Gabe des Hellhörens. Auch körperliche Beschwerden sind häufig die Folge von Nicht-Vergeben.

Für das Ritual der Vergebung stelle dir vor deiner Brust die Liegende Acht vor. Zünde eine Kerze an und lege einen Rosenquarz in deine Nähe oder auf dein Herz. Dann verbinde dich mit der Lichtwelt. Verbinde dich mit uns, wenn du möchtest.

Atme tief und sprich laut, wenn du magst:

» Hiermit öffne ich alle Dimensionen, Zwischendimensionen, Räume und Zeiten. Meine Absicht ist klar und rein.

Ich vergebe hiermit in diesem Raum und in dieser Zeit allen menschlichen Wesen und allen menschlichen Seelen, die mich verletzt haben.

Ich vergebe jetzt und für die Ewigkeit. Ich vergebe von ganzem Herzen und von ganzer Seele.

Ich bitte alle menschliche Wesen und alle menschliche Seelen, die ich verletzt habe, um Vergebung. Jetzt und in diesem Raum.

Ich vergebe hiermit in diesem Raum und in dieser Zeit mir selbst dafür, dass ich meine Seele in Situationen gebracht habe, in denen sie verletzt wurde. Ich vergebe mir von ganzem Herzen. Jetzt und für die Ewigkeit.

Durch meine Vergebung befreie ich uns alle. Die dunklen energetischen Bänder zwischen uns lösen sich in Licht auf.

In meiner Seele breitet sich die rosa-goldene Farbe der Vergebung aus. Sie durchdringt meinen ganzen Körper, meine Aura und verbindet mich mit anderen menschlichen Individuen und anderen Wesen, die etwas Negatives mit mir zu tun hatten. Die rosa-goldene Farbe meiner Seele dehnt sich in alle Räume, Dimensionen, Zwischendimensionen und Zeiten meines Seins sowie meines Lebens aus.

Ich vergebe jetzt und in diesem Raum. Für die Ewigkeit.

Ich segne euch, ich segne mich.

Liebe und Licht durchdringen unser Sein.

Danke! Danke! Danke! «

Quelle: Plejadenbuch 3, Seite 171

eBook-Suchbegriff: »Es gibt keine Zufälle«

Übungs-CD 2: »Ritual zur Vergebung aller Menschen und deiner selbst« (Track 6)

Wiedererlangung der Kosmischen Freiheit

Wundervolle Transformationsprozesse finden derzeit auf der Erde statt. Hohe Mengen an Christusenergie strömen auf den Planeten ein. Dabei gelangen die Frequenzen der Kosmischen Freiheit gerade in jedes Teilchen deiner Existenz. Sie führen dich in deine persönliche Freiheit zurück. Also verbinde dich mit der Frequenz der Kosmischen Freiheit und all ihren Elementen und Eigenschaften. Integriere die Frequenz der Freiheit in deine Seele und in deinen Geist.

Schicke die Frequenz der Kosmischen Freiheit zu Mutter Erde, damit sie in ihre ursprüngliche Kraft zurückkehren kann. Schicke diese positive Energie allen Menschen und allen Wesen guten Willens. Schicke die Frequenz der Kosmischen Freiheit ausnahmslos jedem, der Befreiung benötigt.

Durch die Worte auf der nächsten Seite verbindest du dich mit der Frequenz der Christusenergie und der Kosmischen Freiheit. Beides wird in deinem Herzen verankert und kann sich so in alle Richtungen deines Seins ausbreiten.

Kosmische Freiheit ist der 21. kosmische Schlüssel in der menschlichen Evolution des Bewusstseins.

Die folgende Affirmation kannst du laut aussprechen:

» Ich öffne mein Herz und empfange Licht, Liebe und Informationen der kosmischen Christusenergie. Die kosmische Christusenergie verankert sich in meinem Herzen und verbreitet sich in alle Räume und Zeiten meiner Existenz. Die kosmische Christusenergie verbindet sich mit weiteren reinen menschlichen Herzen. Jetzt und in diesem Raum.

Meine Seele verbindet sich nun mit der Frequenz der Kosmischen Freiheit und nimmt sie in ihre Matrix auf. Ich verbinde mich kraft meines Geistes mit der Intelligenz der Kosmischen Freiheit und bitte sie, allen Wesen zu helfen, die die Frequenz der Kosmischen Freiheit benötigen und die die Frequenz der Kosmischen Freiheit empfangen wollen.

Ich bitte die Intelligenz der Kosmischen Freiheit um Hilfe für den Planeten Erde und seine Seele Gaia. Ich bitte die Intelligenz der Kosmischen Freiheit um Hilfe für die Seele der Menschheit. Jetzt und in diesem Raum.

Meine Absicht ist rein und klar.

Liebe, Licht und Freiheit verbreiten sich über den ganzen Planeten und helfen allen Wesen, die meine Hilfe annehmen.

Danke. Danke. Danke. «

Quelle: Vierte Botschaft der Plejader zur aktuellen Lage [Buch 7]

YouTube-Audio der Affirmation auf https://youtu.be/6PDX2zAZEB0

Wiedererlangung der Weiblichen Kraft

Alle Frauen des Planeten Erde sind untereinander durch ihr kollektives weibliches Bewusstsein verbunden. Durch Missbrauch der unterschiedlichsten Art wurden bei Frauen in den letzten Jahrtausenden energetische Blockaden herbeigeführt, die nun aufgelöst werden dürfen. Dies darf durch die Reinigung des Sakralchakras geschehen. Durch die Reinigung dieses Chakras überträgst du heilende Informationen erst auf andere Frauen in deiner Familie, und diese übertragen ihre natürliche Gesundheit dann wieder auf andere Frauen in der Umgebung. So löst du durch *deine* Heilung die energetischen Blockaden *aller* anderen Frauen auf.

Weibliche Kraft ist die Trägerin des Lebens, sie muss erweckt und wiederbelebt werden. Durch das Heilen weiblicher Komponenten heilt auch Gaia, die Seele deines Planeten, und der Mann gibt der Frau wieder seine natürliche Kraft und seinen Schutz. Dadurch gleichen sich die Energien aus und kommen in ihre kosmische natürliche Balance.

Diese Affirmation hilft jeder Frau, ihre natürliche Weiblichkeit zurückzuerlangen. Falls du dich gerade in einem männlichen Körper befindest, kannst du diese Affirmation trotzdem durchführen. Verbinde dich dazu einfach mit den Wesen der Venus und allen Lichtwesen, die dir bei deiner Heilung helfen können, auch mit uns Plejadern.

Atme tief und sprich die folgenden Worte:

» Ich vergebe allen menschlichen Wesen, menschlichen Seelen und allen Wesen, die mich in meiner natürlichen Weiblichkeit verletzt haben.

Vergebt auch ihr mir, falls ich jemanden von euch verletzt habe. Ich vergebe mir. Durch meine Vergebung befreie ich uns alle.

Ich trenne mich hiermit von allen negativen Verbindungen, negativen Energien und negativen Wesen, die mich negativ beeinflussen. Ich trenne mich kraft meiner reinen Absicht und kraft meines reinen Herzens. Alles Negative geht, nur Liebe bleibt.

Mein Sakralchakra ist rein, klar und gefüllt mit dem lilasilbernen Licht der göttlichen spirituellen Heilung.

Mein Sakralchakra gibt sein Licht an weitere Frauen meiner irdischen Familie und an weitere Frauen in meiner Umgebung weiter.

Mein Sakralchakra übergibt sein Licht an alle weiblichen Seelen, die sich im Licht befinden und zu meiner Verwandtschaft gehören. Ich durchleuchte mit dem Licht meines Sakralchakras alle meine Verwandtschaftslinien, die sich im Licht aufhalten.

Das Licht meines Sakralchakras befreit alle Frauen meiner irdischen Familie, die Frauen in meiner Umgebung und alle Frauen meiner Familie im Licht.

Ich segne meinen Körper, ich segne meine Seele und ich segne meinen Geist.

Ich segne meine Weiblichkeit.

Ich segne alle Frauen meiner irdischen Familie. Ich segne alle Frauen in meiner Umgebung.

Ich segne alle weiblichen Seelen meiner Familie im Licht.

Ich segne alle Frauen dieses Planeten.

Ich segne weibliche Kinder, ich segne männliche Kinder.

Ich segne alle Männer dieses Planeten.

Ich segne die Seele des Planeten Erde, Gaia.

Ich segne den Frieden und das Glück in den Herzen aller Wesen dieses Planeten.

Danke. Danke. Danke. «

Quelle: Plejadenbuch 5, Seite 150

eBook-Suchbegriff: »Dadurch heilst du die weiblichen Teile«

Übungs-CD 4: »Aufruf der Wesen des Planeten Venus« (Track 9)

Übungs-CD 6: »Heilung der weiblichen Anteile in deinem System« (Track 8)

Zahlenreihe 131

Deine Seele, dein Geist und dein Körper sind an die Geometrie des Universums angebunden, die in Zahlen und Formen kodiert ist. Alle drei Komponenten deines menschlichen Systems können diese Kodierungen sehr gut dechiffrieren. Dadurch können Zahlenreihen jede Disharmonie deines Systems wieder in die göttliche Ordnung bringen.

Die Frequenz der Zahlenreihe 131 zeigt sich in Hellblau und auch in regenbogenfarbenen Farbnuancen. Sie bringt dich in Kontakt mit deiner Göttlichkeit in deinem menschlichen Körper und bindet dich gleichzeitig an das Bewusstsein, die Liebe und Verspieltheit der Delfine an, aber auch an die Wasserreiche dieser Erde, an Feuchtigkeit und an alle Wasserelemente, die in der Luft enthalten sind. Sie verbindet dich mit der heilenden Kraft des Elements Schnee und mit den gefrorenen Wasserkristallen und Schneeflocken.

Außerdem gibt diese Zahlenreihe dir die Reinheit, Verspieltheit und Leichtigkeit eines kleinen Kindes zurück. Du kannst dich durch sie mit der Liebe von Mutter Erde und mit der Liebe dieser Galaxis verbinden.

Diese Zahlenreihe kannst du …

- auf Wasser programmieren und auf deinen Kristall programmieren.
- auf einen Zettel schreiben und unter eine vierseitige Pyramide legen, damit die Information auf dein Zuhause übertragen wird.
- bei der Meditation verwenden, indem du ein Blatt Papier mit der Zahlenreihe an dein Herzchakra hältst oder sie visualisierst.
- auf einen Zettel schreiben und in deiner Nähe aufbewahren.
- vor deinem inneren Auge visualisieren oder laut aussprechen, um die Wirkung zu erfahren.
- letzten Endes auch verwenden, indem du einfach die Handflächen darauf legst.

Quelle: Plejadenbuch 6, Seite 117/183

eBook-Suchbegriff: »Göttlichkeit im menschlichen Körper«

Übungs-CD 7: »Anbindung an das Reich der Delfine« (Track 7)

CD *Anbindung an Gaia*; erhältlich auf www.AmraVerlag.de

33851651

Zahlenreihe 33851651

Diese wundervolle Zahlenreihe hilft dir beim Übergang von der dritten in die fünfte Bewusstseinsdimension und auch dabei, dich in der fünften Dimension schneller zu »verankern«. Sie hilft dir dabei, belastende Gedankenmuster und Emotionen schneller zu transformieren, negatives Denken loszulassen sowie deine persönlichen Egoanteile zu erkennen. Sie transformiert negative energetische Abdrücke, die du während deiner Inkarnationen hier auf der Erde hinterlassen hast, harmonisiert Streitigkeiten und innere Unruhe.

Auch wenn es dir nicht bewusst ist, dein Ziel ist sogar die siebte Dimension, und durch die Verwendung dieser Zahlenreihe gelangst du schneller dorthin. Sie ermöglicht das absolute Einssein mit allem, sie ist ein Einstieg in die Welt des Reisens in der Zeit. Gedankliche Teleportation. Lichtvolle Abtrennung vom physischen Körper. Anbindung und Gedankenabläufe in nicht mehr wahrnehmbarer Geschwindigkeit vor dem Hintergrund absoluter bedingungsloser Liebe zum Nächsten und zu dir selbst. Herzenswohlstand auf allen Ebenen. Unendlichkeit der Seele und Unsterblichkeit des Zellbewusstseins, denn jede Zelle, jedes Molekül und jedes

Atom wird diese Informationen annehmen wollen, so dass es schneller zu einem Anstieg spirituellen Bewusstseins kommt. Dazu kann dir die abgebildete Zahlenreihe verhelfen. Benutze sie auch gern telepathisch, also in Gedanken.

Diese Zahlenreihe kannst du ...

- auf Wasser programmieren und auf deinen Kristall programmieren.
- auf einen Zettel schreiben und unter eine vierseitige Pyramide legen, damit die Information auf dein Zuhause übertragen wird.
- bei der Meditation verwenden, indem du ein Blatt Papier mit der Zahlenreihe an dein Herzchakra hältst oder sie visualisierst.
- auf einen Zettel schreiben und in deiner Nähe aufbewahren.
- verwenden, indem du deine Hände darauf legst.
- laut aussprechen, um die Wirkung zu erfahren.

Quelle: Plejadenbuch 1, Seite 21

eBook-Suchbegriff: »Dieses Bild birgt Geheimnisse«

Übungs-CD 1: »Ablegen des Egos und Reinigung des Körpers« (Track 2)

Zahlenreihe 35791 mit Y

Mit dieser Zeichenkombination öffnest du Kanäle zu Dimensionen, die eine Heilung oder Veränderung deines Zustandes herbeiführen. Allerdings ist es bei ihrer Verwendung notwendig, das Ypsilon größer und mittig in die Zahlenreihe zu schreiben, damit deine Bewusstseinsdimensionen den positiven Zustrom erfahren können – und zwar dergestalt, dass der »Trichter« für den Zustrom über der Zahlenreihe nach oben ragt und der »Ablauf« über den unteren Rand hinaus reicht.

Mit Hilfe dieser Zahlenreihe kannst du Wasser programmieren und es nach drei Minuten jederzeit zum positiven Umprogrammieren deiner jetzigen Realität in kleinen Schlücken trinken. Sie harmonisiert deine Zukunft und programmiert sie positiv. Sie harmonisiert auch die negativen energetischen Abdrücke deiner Vergangenheit auf der Erde. Du kannst sie jederzeit zur Harmonisierung von Situationen benutzen, die dein Leben belasten. Du kannst sie auch visualisieren oder damit meditieren, indem du das Motiv auf der Karte anschaust.

Quelle: Plejadenbuch 5, Seite 201

eBook-Suchbegriff: »Diese Zahlenreihe mit dem Y«

Zahlenreihe 3717

Von den Plejadern »Zahlenreihe des Vertrauens« genannt, bildet 3717 ein Einstiegstor in Zeit und Raum zum Plejadengestirn und zur plejadischen Zivilisation. Sie verbindet dich mit der Bewusstseinsebene der Plejader, deren Wissen und Frequenz, lässt dich spirituell wachsen und ist mit der Liebe, Energie und dem Schutz der Plejader aufgeladen.

Diese Zahlenreihe ist besonders hilfreich, wenn du sie im Kollektiv einsetzt. Deine jetzige Zeit bringt eine verstärkte Form der Kommunikation im Kollektiv mit sich. Das erhöht die Frequenz aller Beteiligten und erleichtert die Anbindung an Dimensionen, die zur Heilung notwendig sind. Durch das kollektive Wirken formt sich die vervielfachte Energie zu einer Spirale und öffnet und berührt durch ihre Anwesenheit mehrere Dimensionen, Räume und Zeiten gleichzeitig.

Wenn du die Zahlenreihe mit anderen Menschen zusammen laut aussprichst, eröffnen sich euch ungeahnte Möglichkeiten des Heilens sowie Möglichkeiten zur telepathischen wie auch zur visuellen Kommunikation. Du kannst sie aber ebenso zu deiner persönlichen Heilung verwenden, etwa zur Umprogrammierung deines Unterbewusstseins.

Diese Zahlenreihe kannst du …

- auf Wasser programmieren und auf deinen Kristall programmieren.
- auf einen Zettel schreiben und unter eine vierseitige Pyramide legen, damit die Information auf dein Zuhause übertragen wird.
- bei der Meditation verwenden, indem du ein Blatt Papier mit der Zahlenreihe an dein Herzchakra hältst oder sie visualisierst.
- auf einen Zettel schreiben und in deiner Nähe aufbewahren.
- vor deinem inneren Auge visualisieren, um die Wirkung zu erfahren.
- laut aussprechen, um die Wirkung unmittelbar zu erfahren.
- verwenden, indem du deine Hände darauf legst.

Quelle: Plejadenbuch 6, Seite 50/179

eBook-Suchbegriff: »Zahlenreihe des Vertrauens«

Übungs-CD 7: »Anbindung an die Bewusstseinsebene der Plejader« (Track 3)

Zahlenreihe 55Y77

Sicher ahnst du in der Tiefe deiner Seele, dass der Planet Erde zwar einen Platz für die Inkarnation bietet, aber nicht dein wahrer Heimatplanet ist. Vielleicht ahnst du innerlich auch, dass die Kosmische Familie, aus der du kommst, zwar mit dir in Verbindung steht, es für dich im menschlichen Körper aber beschwerlich ist, dich mit ihr zu verbinden.

Es könnte sogar durchaus sein, dass du dich von deiner Kosmischen Familie abgetrennt fühlst.

Deine Kosmische Familie wird dich jederzeit unterstützen. Sie kann dir beibringen, die Signale und Impulse der Kosmischen Energie zu empfangen, um so harmonisch wie möglich durch diese irdische Zeit zu gehen. Dank deiner Kosmischen Familie lernst du, intuitiver zu sein. Du lernst, dich besser an sie und ihre Unterstützung anzubinden.

Zur Erleichterung der Kommunikation und Anbindung an deine Kosmische Familie kann dir eine einfache Zahlenreihe dienen. Zahlen und Buchstaben sind energetisch aufgeladen und ein Teil der Heiligen Geometrie, die überall im Universum volle Gültigkeit hat.

Und so ist die geometrische Form aufgebaut:

5 steht für deine momentane Bewusstseinsdimension.
Y steht für den Übergang in eine andere Dimension mit Hilfe des lichtvollen Trichters.
7 steht für die Anbindung an die siebte Bewusstseinsdimension deiner Kosmischen Familie.

Diese Zahlenreihe kannst du …

- bei der Anbindung und beim Denken an deine Kosmische Familie verwenden.
- während deiner Anbindung an deine Kosmische Familie visualisieren oder laut aussprechen (deine Stimme verstärkt die Frequenz und die Anbindung an deine Kosmische Familie).
- auf einen Zettel schreiben und neben dich legen.

Quelle: Plejadenbuch 3, Seite 108

eBook-Suchbegriffe: »Zur Erleichterung der Kommunikation«

Übungs-CD 3: »Anbindung per Zahlenreihe an deine kosmische Familie« (Track 2)

Zahlenreihe 8787

Diese Zahlenreihe dient der Anbindung an die reine Essenz der Ahnen. Sie besteht aus zwei verschiedenen Zahlen. Die Zahl 8 steht für Unendlichkeit und immerwährendes Gleichgewicht. Die Zahl 7 verbindet dich mit der Bewusstseinsebene der ursprünglichen Menschheit, als sie auf diese Erde kam – mit ihrer Reinheit und ihrem Wissen, mit den reinsten Frequenzen der menschlichen Rasse, des menschlichen Herzens und der menschlichen Seele. Sie verbindet dich mit den reinsten morphogenetischen Feldern der Menschheit sowie mit den heilenden und reinsten Frequenzen von Lemurien.

Die Zahlenreihe 8787 trägt eine kristallklare Frequenz in sich. Sie hilft dir, dich an das Wesentliche des menschlichen Lebens und des menschlichen Seins hier auf der Erde zu erinnern. Wenn du mit dieser Zahlenreihe arbeitest, egal auf welche Weise, erscheinen bei dir kristalline Lichtwesen. Sie verbinden dich mit der Seele der Menschheit. Sie heilen dein Herz und erinnern dich an deine reinste Essenz.

Durch die Anwendung dieser Zahlenreihe erschaffst du mit ihrer Hilfe eine neue, fehlerfreie Realität deines menschlichen Wesens. Du befreist dich von Realitäten, die nicht zu dir gehören und die bei der Manipulation der Menschheitsgeschichte künstlich erzeugt worden sind. Du strebst nach der fünften Bewusstseinsebene, in der sicheren Gewissheit, dass die siebte Bewusstseinsebene dich ebenso erwartet.

Diese Zahlenreihe kannst du …

- auf Wasser programmieren und auf deinen Kristall programmieren.
- auf einen Zettel schreiben und unter eine vierseitige Pyramide legen, damit die Information auf dein Zuhause übertragen wird.
- bei der Meditation verwenden, indem du ein Blatt Papier mit der Zahlenreihe an dein Herzchakra hältst oder sie visualisierst.
- auf einen Zettel schreiben und in deiner Nähe aufbewahren.
- vor deinem inneren Auge visualisieren, um die Wirkung zu erfahren.
- laut aussprechen, um die Wirkung unmittelbar zu erfahren.
- verwenden, indem du deine Hände darauf legst.

Plejadenbuch 6, Seite 111/180

eBook-Suchbegriff: »Frequenzen der menschlichen Rasse«

Übungs-CD 7: »Anbindung an die Frequenz von Lemurien« (Track 9)

CD *Heilung des Herzens*; erhältlich auf www.AmraVerlag.de

88445719

Zahlenreihe 88445719

Diese Zahlenreihe lässt dich in der fünften Bewusstseinsdimension, in die wir uns gerade begeben, richtig ankommen. Sie durchleuchtet deine Realität und dein System und schützt vor allen Arten energetischer Belastung. Sie bindet dich an die kosmische Christusenergie an und lässt dich spirituell wachsen. Dabei minimiert sie alles Negative und verstärkt alles Positive, bringt Stabilität auf allen Ebenen. Sie verringert auch Nebenwirkungen von Medikamenten und Schadstoffen, die sich in unserer Nahrung und im Wasser befinden. Außerdem hilft sie dabei, Elektrosmog zu reduzieren.

Die Quersumme dieser Zahlenkombination beträgt eins. Und so endet sie auch – mit einer Eins vor der Neun, der Zahl der Unendlichkeit. Die Eins stellt die göttliche Energie und den machtvollen Beginn eines neuen Zyklus dar. Sie ist eine enorm positive geometrische Form und leistet deshalb äußerst wertvolle Hilfe. Sie steht für den idealen Verlauf eines großen Zyklus der Erneuerung, wie er gerade auf dem Planeten Erde eingesetzt hat. Die Eins ist kraftvoll – du kannst durch sie verstärkt mit der Kraft des kosmischen Strahls Christi in Verbindung treten. Sie trägt die Kraft der göttlichen Kosmischen

Energie in sich und dient stets der Erneuerung. Diese Zahlenreihe ermöglicht es, dich an die positiven kosmischen Gesetze und das göttliche Wissen des Universums anzubinden.

Du kannst diese Zahlenreihe …

- auf Wasser oder auf deinen Kristall programmieren.
- auf einen Zettel schreiben und unter eine vierseitige Pyramide legen, damit die Information auf dein Zuhause übertragen wird.
- bei der Meditation verwenden, indem du ein Blatt Papier mit der Zahlenreihe an dein Herzchakra hältst oder sie in deinem Herzen visualisierst.
- auf ein Stück Papier schreiben und es bei dir tragen oder in deiner Nähe aufbewahren.
- auf ein Blatt Papier schreiben und dich darauf stellen.
- verwenden, indem du deine Hände darauf legst.
- laut aussprechen, um die Wirkung zu erfahren.

Wenn du diese Zahlenreihe im Kreis schreibst, jeweils verbunden durch das Zeichen der Unendlichkeit, erhältst du das Schutzsymbol gegen Elekrosmog (siehe Seite 73). Es ist ein starkes energetisches Portal für die Christusenergie, die alle energetischen Belastungen reduziert.

Quelle: Plejadenbuch 2, Seite 155/211

eBook-Suchbegriff: »In Richtung auf das kosmische Bewusstsein«

Übungs-CD 5: »Tipps für den Alltag!« (Booklet)

CD *Anbindung an die Lichtwelt*; erhältlich auf www.AmraVerlag.de

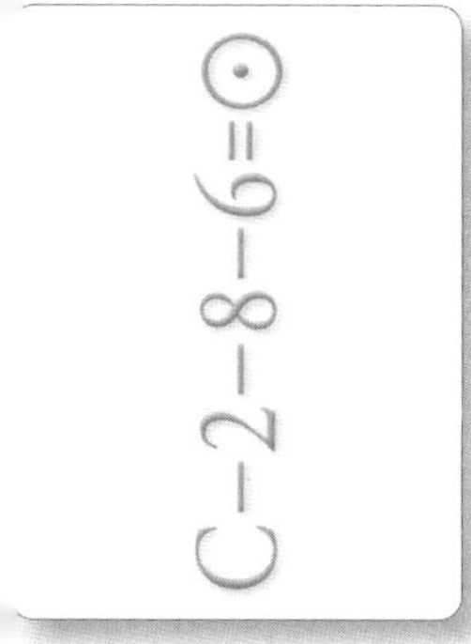

Zahlenreihe C – 2 – 8 – 6 = ⊙

Befreie deine körperliche Materie von belastenden Elementen jeglicher Art. Es ist ganz egal, wie sie dorthin gelangt sind. Du hast jetzt die wundervolle Möglichkeit, alle negativen Informationen und Belastungen freizugeben, die sich in deinem System befinden. Diese Zahlenreihe entfaltet die geometrische Wirkung, die den nötigen Anstoß gibt, dein System zu reinigen. Der Kreis mit dem Punkt darin bedeutet Ganzheit und Einheit. Die vollständige Gleichung symbolisiert das Verlassen dunkler Materie aus deinem energetischen System.

Dazu gehst du folgendermaßen vor:

- Schreibe die Zahlenreihe auf zwei Blätter Papier. Stelle dich auf eines davon und schaue das andere Blatt Papier an. Bleibe höchstens drei Minuten lang auf dem Stück Papier stehen. Schaue gleichzeitig diese Zahlenreihe an. Überschreite die Zeit von drei Minuten nicht!
- Setze dich danach hin und lasse die plejadischen Wesen ungefähr zwanzig Minuten lang mit dir arbeiten. Die Plejader binden dich an das sogenannte Feld X an, das

dir hilft, negative Informationen, Energien und Programme in deinem System zu neutralisieren.

Wenn du diese Übung gemacht hast, ist dein System immer noch offen. Damit der energetische Schutz auch von Dauer ist, musst du die Wirkung der Arbeit stabilisieren. Verwende dazu das Omega-Zeichen mit der rechtsdrehenden Spirale, das durch die harmonisierende Wirkung des Unendlichkeitszeichens unterstützt wird. Nimm die entsprechende Karte zur Hand (Seite 42) und stelle dich noch einmal für maximal drei Minuten auf ein Blatt Papier, auf das du das Omega-Zeichen mit der rechtsdrehenden Spirale und dem Zeichen der Unendlichkeit gezeichnet hast. Ein entsprechendes zweites Blatt betrachtest du wieder parallel dazu.

Beide Karten aus dem Set wirken hier zusammen und haben die Aufgabe, deine Lichtfrequenz anzuheben, so dass du in deiner Lichtfrequenz bleiben kannst.

Sie stabilisieren dein System und verleihen dir energetische Stärkung und energetischen Schutz.

Quelle: Plejadenbuch 2, Seite 60

eBook-Suchbegriff: »Es funktioniert ganz einfach«

Dein Einstieg ins Goldene Zeitalter

Im Folgenden werden wichtige Voraussetzungen genannt, um optimal ins Goldene Zeitalter zu wechseln. Man kann sie als Anleitungen verwenden, die dir dabei helfen, deine persönliche Entwicklung zu verstehen, als eine Art Checkliste.

Sie bietet dir einen Überblick darüber, was du gegebenfalls noch verarbeiten solltest, damit du deine Seele, deinen Geist und deinen Körper befreist. Deine spirituelle Entwicklung kann dadurch leichter und schneller ablaufen.

21 Schlüssel für den optimalen Einstieg

- Abtrennung vom negativen kollektiven Bewusstsein
- Abtrennung vom Ego, das euch künstlich durch die dunklen Wesen eingegeben wurde
- Abtrennung von Angst und anderen belastenden Negativitäten
- Vergebung anderen und sich selbst gegenüber
- Abtrennung von den aktuellen Räumen und Zeiten; Bewusstmachung der eigenen Kraft und Entschlossenheit
- Bewusstwerdung über die Absolutheit und Unendlichkeit der göttlichen Intelligenz
- Bewusstwerdung über die absolute und präzise Geometrie der kosmischen Räume
- Bewusstwerdung über die Möglichkeiten der eigenen Herzenskraft und Herzensreinheit

- Bewusstwerdung über die genaue Geometrie des eigenen Körpers
- Bewusstwerdung über den eigenen göttlichen Ursprung; Selbstliebe, Liebe
- Bewusstwerdung darüber, wohin das gesamte göttliche Geschehen strebt, die Bedeutung der Lichtenergie
- Bewusstmachung der neuen Bewusstseinsebenen
- Bewusstmachung der lichtvollen Ausdehnung – Ausbreitung
- Bewusstmachung der Kraft und Einheit des Kollektivs
- Bewusste Anbindung an eure lichtvolle, kosmische Familie und die Lichtwelt
- Rückkehr der natürlichen männlichen und weiblichen Kraft
- Bewusstwerdung über die Tatsache, dass keine durch dunkle Wesen erzeugte morphogenetische Felder mehr existieren
- Reinigung eurer aktuellen persönlichen Realität
- Ein gesunder und gesund ernährter Körper; Bewusstmachung der neuen Möglichkeiten zur Wiederanbindung aller DNA-Stränge
- Bewusstmachung der Verbindung mit dem Planeten Erde und seiner Seele
- Verschmelzung mit der göttlichen Energie, Ganzheit, Freiheit

Quelle: Plejadenbuch 5, Seite 82

eBook-Suchbegriff: »Für eure Bewusstwerdung und euer Verstehen«

Übungs-CD Reiner Klang: »Klangmeditation zur Wiederanbindung der DNA-Stränge« (Musik von Sayama)

Nachwort

Liebe Benutzer dieses wundervollen Kartensets,

auch ich arbeite sehr gerne mit den Symbolen, die uns die plejadischen Begleiter mitteilen. Diese Symbole helfen mir täglich. Ich habe sie in meinen Alltag integriert. Ich fühle mich durch sie gestärkt, und sie haben meine intuitive Wahrnehmung verbessert. Alltägliche Angelegenheiten fließen in größerer Harmonie als früher.

Viele meiner Freunde, Nahestehenden, Bekannten und Leser informieren mich über die Wirkungen dieser Symbole und über die Wirkungen der plejadischen Energie. Alle beschreiben ähnliche Dinge, wie ich sie beobachte: eine schrittweise Heilung des ganzen Systems – Seele, Geist, Körper –, Erhöhung der Intuition, Telepathie, Schärfung der Sinneswahrnehmungen und Erweiterung der Bewusstseinsentwicklung. Sie beschreiben, dass seit der Zeit, als sie angefangen haben, mit der Energie der plejadischen Frequenz zu arbeiten, ihr Leben immer positiver und harmonischer fließt. Viele Themen, an denen sie früher langwierig und mühselig arbeiten mussten, wurden bei ihnen bereinigt.

Jeder beschreibt, dass er sich durch diese Energie getragen und geführt fühlt. Jeder beschreibt, dass er eine große Anzahl von Zusammenhängen begriffen hat, die mit der Geschichte und der Entwicklung der Menschheit zu tun haben. Jeder von ihnen hat verstanden, dass wir in dieser Galaxis und in diesem großen weiten Universum nicht allein sind, und ist zu der Erkenntnis gekommen, dass die gegenseitige Unterstützung der Menschen unverzichtbar ist.

Jeder von ihnen hat sich auf einen Weg gemacht, der dazu führen soll, das göttliche Licht in sich zu finden, seine reinste Essenz und seine reinste Wahrheit.

Ich bin jedem Einzelnen von euch sehr dankbar für eure Unterstützung und für eure energetische Arbeit. Jede Arbeit mit dem Licht, der Energie und Liebe der göttlichen Quelle und der Lichtwesen bringt nicht nur euch selbst Heilung, sondern auch anderen menschlichen Wesen, die gerade ihre Inkarnation auf diesem Planeten durchleben.

Ich wünsche euch viel Glück und Freude in eurem täglichen Leben.

Ich wünsche euch viel Motivation und Führung durch die Lichtwesen auf eurem Weg der Entdeckung eurer göttlichen Essenz.

In Liebe

Pavlina

Danksagung

Ich danke meinen plejadischen Begleitern für die liebevolle Unterstützung. Ich danke ihnen für die Liebe, die Energie und die Informationen, die ich für uns alle ständig erhalte. Wenn ich mit den Plejadern arbeite, spüre ich Kraft und unendliche Energie. Ich danke ihnen für diese Elemente, denn sie lassen immer wieder neue Projekte entstehen.

So kann die feinstoffliche Form der Informationen eine schriftliche, feste Form annehmen!

Ich danke absolut allen, die sich an der Entstehung dieses Kartensets beteiligt haben. Ich danke allen menschlichen und lichtvollen Wesen. Ich danke unserer wunderschönen Natur, dass ich in ihren Reichen alle Informationen und alle Botschaften empfangen und niederschreiben durfte, die uns allen eine solch große Hilfe erweisen.

Danke, danke, danke.

Anmerkungen

1. Allgemein möchte ich noch darauf hinweisen, dass viele in diesem Set verwendeten Heilsymbole und Zahlenreihen auf Wasser oder beliebige andere Flüssigkeiten übertragen werden können. Stelle dazu einfach ein Glas Wasser auf ein Blatt Papier, auf das du das Heilsymbol deiner Wahl gezeichnet oder die Zahlenreihe, mit der du arbeiten möchtest, geschrieben hast, und lasse das gefüllte Glas mindestens drei Minuten lang darauf stehen. Trinke das Wasser oder die Flüssigkeit danach je nach Bedarf und deiner Intuition gemäß über den Tag verteilt. Deine Zellen übernehmen die Informationen und helfen dir bei deinem Bewusstseinsprozess. Für das Heilsymbol zur Ausleitung von Krankheitserregern aus deinem Körper gibt es bereits fertige Untersetzer aus Holzschliffpappe und aus Schiefer, die du direkt beim Verlag beziehen kannst. Gehe dazu einfach auf www.AmraVerlag.de.

2. Die Heilsymbole und Zahlenreihen der Plejader sind sehr kraftvoll. Beim Übertragen auf Wasser solltest du immer nur ein Symbol benutzen. Falls du mehrere Heilsymbole oder Zahlenreihen verwenden möchtest, solltest du diese auf Wasser in verschiedenen Gläsern programmieren und zeitlich versetzt trinken. Dein System verträgt zur Umprogrammierung in der Regel höchstens drei verschiedene Informationen. Sonst könnte es passieren, dass dein System überlastet wird. Spüre in dich hinein und verlasse dich auf deine Intuition.

3. Alle Heilsymbole, Zahlenreihen, Affirmationen und Texte sind wie immer von den Plejadern energetisch aufgeladen. Sie tragen entsprechende Schwingungen in sich.

4. Außerdem möchte ich noch auf die Montagsmeditation von 21:00 Uhr bis 21:20 Uhr Ortszeit hinweisen, die jetzt schon seit mehreren Jahren stattfindet. Tausende von Teilnehmern haben inzwischen ein großes gemeinsames Energiefeld aufgebaut und finden darin innere Ruhe und Heilung. Jeder kann sich anbinden und seine Themen betrachten und heilen und erhält dabei Unterstützung von den Plejadern selbst, die ebenfalls an diesen Montagsmeditationen teilnehmen. Die Wirkung ist äußerst stark – und wir freuen uns alle darüber, dass wir auf diese Weise zur Heilung unserer Essenz und der Lage der Welt beitragen können.

5. Die Plejader haben die Menschen auch sonntags um 16:00 Uhr Ortszeit zur gemeinsamen Ausdehnung von Licht und Liebe aufgerufen. Jeder, der möchte, kann zu dieser Tageszeit den heiligen, göttlichen Ton OM singen. Das Singen erzeugt ein wunderschönes, kraftvolles Feld, das nicht nur uns Menschen untereinander verbindet, es verbindet uns auch mit der göttlichen Liebe, Heilung und Energie. Das Singen heilt, durchleuchtet und segnet unsere menschliche Gesellschaft. Es hilft der Erde, ihre eigenen Themen und Bereiche zu heilen. Mehr dazu findest du im Plejadenbuch 4, Seite 143, oder im eBook unter dem Suchbegriff »Ein dringender Aufruf«.

Pavlina Klemm

wurde im Jahr 1970 in der Tschechischen Republik im Riesengebirge geboren. Als 19-Jährige kam sie nach München, in dessen Nähe sie heute noch lebt und arbeitet. Schon als kleines Kind hatte sie Kontakt zur Lichtwelt, und als junge Erwachsene war ihr absolut klar, welche Richtung ihr Lebensweg nehmen würde. 1999, kurz vor der Zeitenwende, begann sie dann, intensiv mit alternativen Heilmethoden zu arbeiten. Durch die Arbeit mit der heilenden universellen Energie entwickelten sich bei ihr nicht nur heilerische Fähigkeiten, sondern es erhöhte sich auch ihre Anbindung an die Lichtwelt und das Engelreich. Dank dieser Anbindung sieht sie es heute als ihre größte Aufgabe an, Informationen über die universellen Gesetze und kosmischen Entwicklungen weiterzugeben. Das Ergebnis ihrer Channeling-Kontakte mit der plejadischen Zivilisation sind vor allem die zahlreichen Bücher und CDs der *Lichtbotschaften von den Plejaden.*

Bei ihren Seminaren, die Pavlina inzwischen regelmäßig überall im deutschsprachigen Raum und in Tschechien abhält, werden die Teilnehmer in der spirituellen Entwicklung ihrer Persönlichkeit stets fürsorglich begleitet. Dabei setzt sie nicht nur ihre Ausbildungen als Lebens-Energie-Beraterin® nach Körbler und Reconnective Healing® Practitioner nach Eric Pearl ein, sondern ebenso ihre Schulungen durch Andrew Blake in Quantenheilung, russische Heiltechniken und anderes mehr. Außerdem bildet sie ihre Klienten in plejadischen Heiltechniken aus.

Pavlina widmet sich auch weiterhin dem Channeling und Schreiben von Büchern über spirituelle kosmische Gesetze, ihre Komplexität und ihren direkten Einfluss auf unsere menschliche Gesellschaft, denn wie sie selbst sagt: »Das Lehren und Erkennen der universellen Gesetze ist so unendlich wie das Universum selbst. Es bringt Freude, Bewusstwerden, Frieden und Reinheit im Herzen.«

Kontakt:
www.PavlinaKlemm.de

Lebens-Energie-Beraterin® nach Körbler
Reconnective Healing® Practitioner
Alternative Heilmethoden

Vorworte & Empfehlungen schrieb Pavlina Klemm zu den folgenden Büchern, die ihr besonders am Herzen liegen …

Patricia Cori, ATLANTIS STEIGT AUF

Daniella Fenton, HYBRIDE MENSCHEN

Lee Harris, DIE ENERGETIK DER NEUEN MENSCHLICHEN SEELE

Gabriel Magma, VERLIERER AUF ERDEN, GEWINNER IM HIMMEL

Barbara Marciniak, AUFBRUCH INS NEUE MORGEN

Barbara Marciniak, SCHLÜSSEL ZUM WISSEN DER ERDE

Eva Marquez, DNA-AKTIVIERUNG DURCH DIE KOSMISCHE FAMILIE

Eva Marquez, HEILUNGSCODE DER PLEJADER BAND 1 BIS 3

Tanja Matthöfer, CHANNELING – UNIVERSALSCHLÜSSEL ZUR GEISTIGEN WELT

Drunvalo Melchizedek & Daniel Mitel, LEBE IM LICHT DEINES HERZENS

Ernst Muldashev, DAS DRITTE AUGE UND DER URSPRUNG DER MENSCHHEIT

Marlies Pante, NO LIMITS! WILLKOMMEN IN DER SCHÖPFERKRAFT

Bianca Sommer, DAS HEILENDE WISSEN DER TIERE

Whitley & Anne Strieber, DIE SEELE IM JENSEITS

Das Buch zum Kartenset …

Pavlina Klemm
HEILSYMBOLE & ZAHLENREIHEN
Arbeitsbuch der Plejadenheilung

AMRA Verlag
Hardcover, glänzend,
Leseband, 208 Seiten
22,99 € [D] / 23,70 € [A]
ISBN 978-3-95447-580-3;
auch als eBook erhältlich!

Immer wieder haben Teilnehmer aus den Workshops, aber auch Leserinnen und Leser der Plejadenbücher danach gefragt. Jetzt dürfen wir sie euch in einem eigens dafür entstandenen Band, dem Arbeitsbuch, endlich vorstellen – die gesammelten Übungen!

Aus dem Vorwort von Jeanne Ruland …

»Symbole synchronisieren uns mit höheren Ebenen und Dimensionen. Ein Symbol ist eine zusammengefasste, konzentrierte Lichtschwingung, ja eine Lichtcodierung. Sie kommt in das Bewusstsein, kommuniziert mit dem Licht unserer Seele und höheren Ebenen, fokussiert, bündelt, erhöht und schützt unsere Energie. Danke von Herzen an dich, liebe Pavlina.«

Leseproben auf www.AmraVerlag.de